天生建築家

鈴木守的
109種動物巢穴大發現

文・圖──**鈴木守** 譯──許嘉祥 審訂──丁宗蘇

美麗的造型帶來結構上的穩定，
而結構則須師法大自然。

——安東尼·高第（1852～1926）

前　言

在這本書裡，我們會介紹許多種生物建造的窩巢。一般說到窩巢，大多會先聯想到鳥類。可是，會建造窩巢的不只有鳥類而已。昆蟲、哺乳類、爬蟲類及不可思議的深海生物，都會為自己建造專屬且獨特的窩巢，而且每種窩巢都蓋得令人讚嘆不已。

大象和馬不會蓋自己的窩，牠們一出生就要立刻學會走路。相對的，同屬於哺乳類的鼴鼠和穴兔剛出生時身上沒有毛，眼睛也看不見，因此必須先蓋好一個窩巢，讓弱小的生命能安全地成長茁壯。鼴鼠一直生活在地洞裡，所以洞穴就變成牠的生活空間。大多數的鳥巢在小鳥離巢後就廢棄了。至於昆蟲，有些是一輩子都住在巢穴裡，也有些是孵化後就離開。

本書並不特別區分暫時的窩巢還是永久的窩巢，而是從較廣的層面來介紹各種生物建造的窩巢和結構。

在地球這個多樣化的環境中，對各種生物來說，繁衍新生命並培育成長是最重要的事，所以不用教，本能就會建造窩巢。當我們了解窩巢，也就會隨之了解生命及其生活的環境。「建造」窩巢，其實就等於是教導我們如何「生存」，不是嗎？

2015年9月　鈴木守

關於這本書

這是一本介紹各種各樣生物所建造的窩巢和結構物的書，
下方是每一頁的編排說明。

主圖

描繪窩巢或結構物的外觀，以及建造
這個窩巢的生物。

圖解

展現窩巢內部空間的
結構和大小。

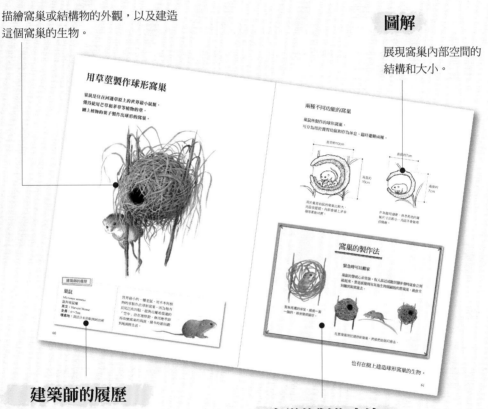

建築師的履歷

建造窩巢的生物名字、分類、
大小、分布地區及生物種類。

窩巢的製作方法

說明窩巢的製作方式。

其他

和這種動物相關的
其他內容等。

接下來，我們就來看看各種動物所建造的各種窩巢吧。

這是什麼東西啊？

用大大的枯草堆疊而成，
直徑可達到10公尺，
下方還可以看到很多小洞口。

究竟是誰、為了什麼目的
建造了這樣的東西呢？

原來，這是一座鳥巢

這是住在非洲沙漠地帶的
群居織巢鳥所蓋的鳥巢。
巨大的鳥巢中住著數百隻的鳥，
簡直就像是巨大的集合住宅。

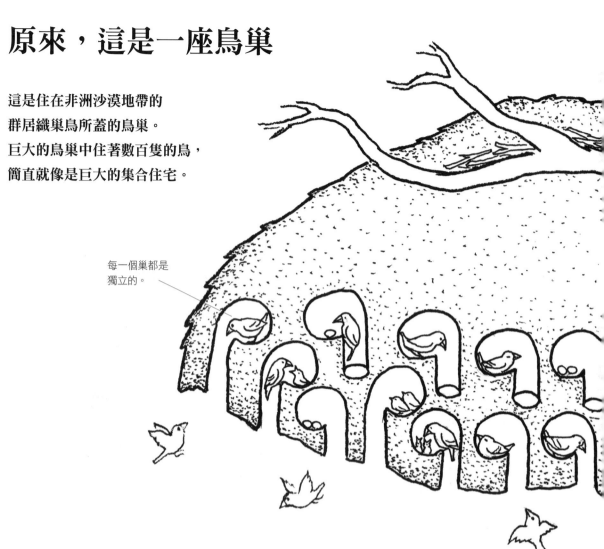

每一個巢都是
獨立的。

一般來說，鳥巢用過之後就會遭廢棄。群居織巢鳥的巨大鳥巢卻是持續
居住的家，每年都會蓋新的巢，使得鳥巢愈來愈大。這不僅是父母子女
居住的二代宅，還是親戚一起居住的大公寓。

建築師的履歷

群居織巢鳥

Philetairus socius
雀科群居織巢鳥屬
英文：Sociable Weaver
全長：14cm
棲息地：分布於非洲西南部

和我們所熟悉的麻雀算是親
戚，是一種懂得用枯草編織
鳥巢的織巢鳥。一般的織巢
鳥會在下垂的樹枝編織一個
袋狀的巢，同屬的鳥很多，
但這一種會造出巨大的集合
住宅型鳥巢。

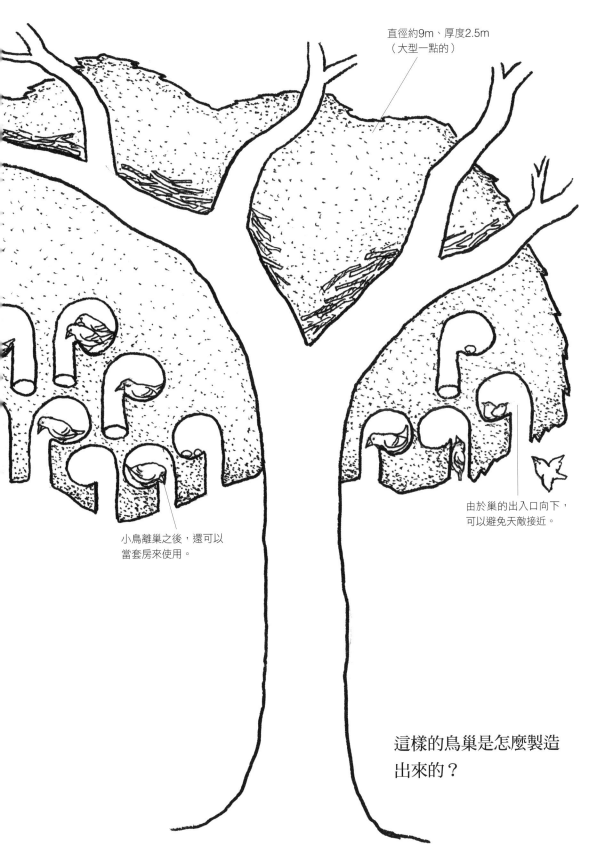

直徑約9m、厚度2.5m
（大型一點的）

小鳥離巢之後，還可以
當套房來使用。

由於巢的出入口向下，
可以避免天敵接近。

這樣的鳥巢是怎麼製造
出來的？

窩巢的製作法

1. 用鳥喙啣著枯草，飛到樹上，插進樹枝中的縫隙裡。

2. 在同伴的協助下，將枯草緊密地插入，使其不會掉下來。

3. 在支撐鳥巢的樹枝上，用細樹枝交叉組合，然後繼續找枯草來插進去。

4. 各自開始建造自己的房間。

有時候也會把鳥巢蓋在電線桿上。

非洲有些民族會把自己的家蓋得像是織巢鳥的巢，他們住在用許多枯草蓋成的房子裡。說不定，他們的祖先就是向織巢鳥學到了這項建築技術。

為什麼要蓋這樣的鳥巢？

在非洲這裡，白天氣溫高達攝氏40度以上，
到了夜晚，溫度又驟降到攝氏零下10度，
氣候的冷熱溫差很大。
不過沒關係，枯草建造的厚重鳥巢裡，
通常能保持在攝氏26度左右。
因為待在巢裡非常舒適，
所以想要避暑和避寒都沒問題。

白天：外面達攝氏40度以上，地表為攝氏60度。
夜晚：外面溫度降到攝氏零下10度以下，但鳥巢
裡大約26度。

太陽升起，驅走寒氣，
群居織巢鳥就集體出動尋找食物。
日正當中的時候，氣溫升高，
鳥群趕緊返回鳥巢避暑。
等到傍晚氣溫下降，又再度出動尋找食物。
夜間氣溫降低時，鳥群又回到鳥窩，
這一次則是回來避寒。

有時鳥巢愈做愈大，導致過重而掉落下來
壞掉，但鳥群會立刻動手修理。有些鳥巢
甚至持續使用100多年。

有些巨大的鳥巢不是集體施工，而是由一對公鳥母鳥合力完成。

9

兩隻鳥就能蓋出又大又堅固的鳥巢

住在非洲的錘頭鸛，會在大樹上造出一個半球形的大鳥巢。

牠們會先蒐集數千根的枯枝、枯草、爛泥、動物屍體、骨頭、外皮、糞便、布料

及人類丟棄的垃圾，然後兩兩一組合力建造鳥巢，約花2至3個月完成。

當地的人因為看到錘頭鸛使用人的衣服和餐具去做巢，

深信牠們會詛咒人類，所以一直不敢靠近牠們的巢。

在錘頭鸛居住的環境中，由於存在像是猴子和豹等各種天敵，或許是為了不讓生下的鳥蛋和雛鳥遭到襲擊，便刻意在窩巢上塞滿材料，而製作出非常堅固的鳥巢。

錘頭鸛

Scopus umbretta
錘頭鸛科錘頭鸛屬
英文：Hamerkop
全長：約50cm
棲息地：分布於非洲中部以南、
　　　　　馬達加斯加

棲息水邊的大型鳥類，平常在淺灘捕食兩棲類和小魚。因為鳥喙和頭部造型看起來像錘子而得名。飛行時，雙腳會朝後伸展。

剛破殼而出的雛鳥眼睛是看不見的，
也沒有長羽毛。成長相當緩慢，
要在鳥巢裡居住7個星期才會離巢發展。

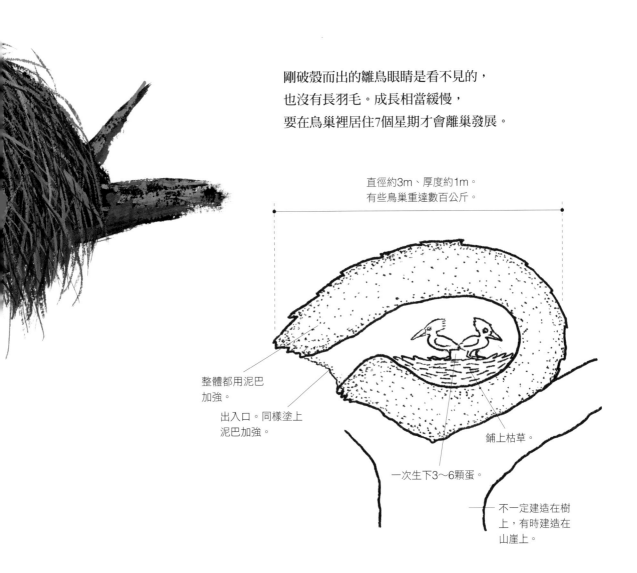

直徑約3m、厚度約1m。
有些鳥巢重達數百公斤。

整體都用泥巴加強。

出入口。同樣塗上泥巴加強。

鋪上枯草。

一次生下3～6顆蛋。

不一定建造在樹上，有時建造在山崖上。

還有其他種鳥類會造出更大的鳥巢。

這也是鳥巢

這是住在澳洲和新幾內亞的烏塚雉所蓋的鳥巢。
烏塚雉會在地面挖掘洞穴，填入大量的枯草，
建造出一個像是巨大墓塚的窩巢，在裡面產卵。
為什麼要把鳥巢做得這麼大呢？

這種鳥不用自己的體溫孵蛋，
而是靠集中這些枯草營造發酵環境，為窩巢加溫。
牠們就是利用這種自然升高的溫度來孵蛋。

烏塚雉

Megapodius freycinet
塚雉科塚雉屬
英文：Dusky Megapode
全長：約40cm
棲息地：分布於澳洲和新幾內亞

生活在森林裡的大型雉目雉屬鳥類，平常大多在地面活動。屬雜食性，以昆蟲、果實、植物等為食物。會用枯草和落葉堆積出巨大的塚形窩巢，靠著發酵的熱來孵蛋。

這麼大的鳥窩是怎麼建造出來的？
鳥蛋不會過熱或過冷嗎？

窩巢的製作法

1. 冬天時，先挖一個直徑約2m、深度約1m的洞穴。

2. 在周圍蒐集枯草、枯葉，堆到洞穴中間。

3. 到了春天降下雨水，枯草開始發酵、產生熱能，這時蓋上一層泥土。

4. 母鳥在巢的中央產卵，然後逕自離去。照顧鳥蛋的工作則交給公鳥。

母鳥生下鳥蛋後的兩個月，公鳥要隨時將鳥巢內的溫度保持在33度左右，不能讓蛋過熱，也不能讓蛋太冷，要好好管理鳥巢。

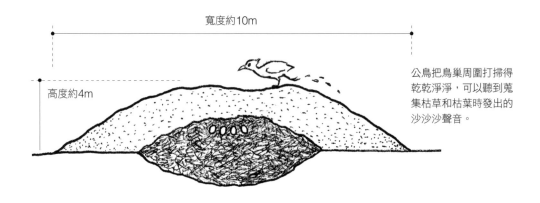

寬度約10m

高度約4m

公鳥把鳥巢周圍打掃得乾乾淨淨，可以聽到蒐集枯草和枯葉時發出的沙沙沙聲音。

因為鳥巢裡有很多枯葉，會引來許多蚯蚓。
所以兼具糧食倉庫的功用。

14

調節溫度的方法

由公鳥照顧鳥蛋

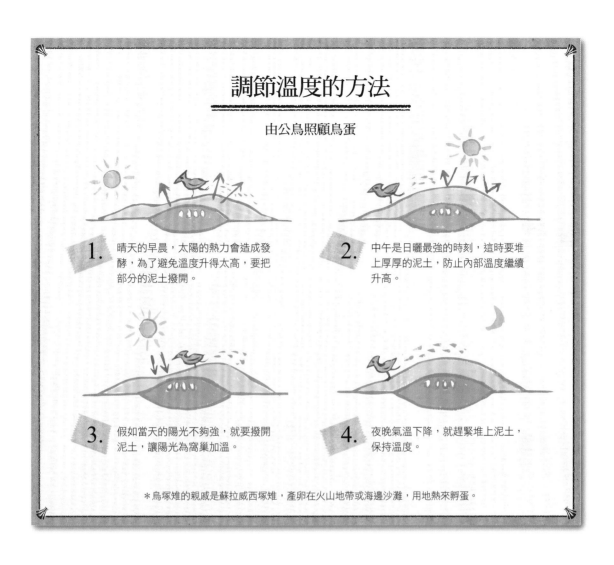

1. 晴天的早晨，太陽的熱力會造成發酵，為了避免溫度升得太高，要把部分的泥土撥開。

2. 中午是日曬最強的時刻，這時要堆上厚厚的泥土，防止內部溫度繼續升高。

3. 假如當天的陽光不夠強，就要撥開泥土，讓陽光為窩巢加溫。

4. 夜晚氣溫下降，就趕緊堆上泥土，保持溫度。

＊烏塚雉的親戚是蘇拉威西塚雉，產卵在火山地帶或海邊沙灘，用地熱來孵蛋。

就這樣，烏塚雉的公鳥在這兩個月期間持續地照顧鳥蛋。
當雛鳥破殼而出時，立刻就能走路，
所以牠們會自己爬出鳥巢後離開。

公鳥會用鳥喙插入土裡，
用舌頭感應地面的溫度。

還有另一種生物會像烏塚雉一樣蓋出墓塚般的窩巢。

鱷魚建造的窩巢

美國短吻鱷屬於爬蟲類，是眾多鱷魚的其中一種。

母鱷魚會蒐集枯草、枯枝和泥土，在水岸邊堆成一個巨大的塚形窩巢。

然後母鱷魚會在窩巢裡產下數十個鱷魚蛋，在上面覆蓋雜草和樹葉。

母鱷魚會趴在窩巢上，提防其他生物接近，擊退任何想要偷蛋的掠食者。

為什麼要蒐集枯草來蓋塚形窩巢呢？

建築師的履歷

美國短吻鱷

Alligator mississippiensis
短吻鱷科短吻鱷屬
英文：American Alligator
全長：約4m
棲息地：分布於美國南方

屬於大型鱷魚，別名為密西西比短吻鱷，是美國南部的原生種。通常公鱷魚全長約4m，不過也曾經抓到全長5.8m的巨鱷。屬肉食動物，幼小時以魚類為主食，成長後會捕捉鳥類和小型哺乳類當食物。

直徑3〜5m、高度約80cm

蛋的孵化通常需要約60天

其實美國短吻鱷和烏塚雉（參12〜15頁）一樣，
牠們都是用相同的材料建造窩巢，
利用太陽的熱力和發酵的熱來孵化蛋。

小鱷魚破蛋而出就開始鳴叫，這時
母鱷魚會挖開窩巢，讓小鱷魚爬出
來。有時還會啣著快破的蛋，輕輕
壓破蛋殼，讓小鱷魚順利爬出。

母鱷魚把從蛋裡孵出來的小鱷魚全
放在嘴巴裡，帶到河邊的安全處。
有時會背著小鱷魚游泳，並且抓魚
給小鱷魚吃。

還有別種生物會蒐集枯草，把巢做得像小山一樣。

野豬建造的窩巢

野豬是大型哺乳類之中少見會建造窩巢的動物。
牠會咬斷芒草、堆積起來，做出半球形的窩巢，
讓容易受寒的小野豬能夠在裡面躲避寒冷和風雨，
算是暫時的窩巢。

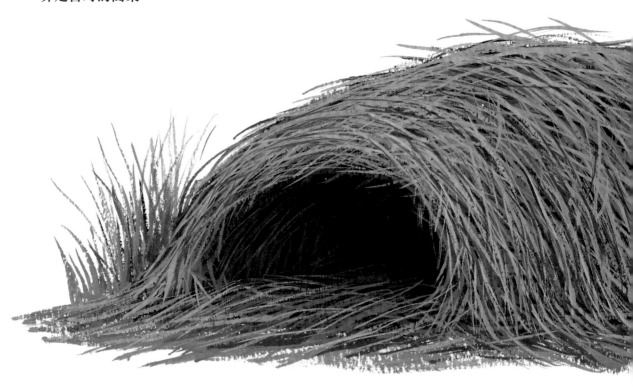

建築師的履歷

野豬

Sus scrofa
豬科豬屬
英文：Wild Boar
全長：1～1.7m
棲息地：分布於日本的本州、四國、
九州、沖繩等地（日本的亞
種日本野豬和琉球野豬）

生活在山野中的大型哺乳類，身體渾圓結實，四隻腳和
尾巴都很短。有著很大的鼻子，嗅覺非常靈敏。屬雜食
性，會一邊用大鼻子挖掘地面，一邊吃著植物的根莖、
果實及竹筍、蚯蚓、昆蟲類。

長約1.5m、高約60cm、寬約1.5m

母野豬一次可以生產
2〜8頭的小野豬。

通常等小野豬長大之後，這個
窩巢就廢棄不用了。不過在寒
帶地區，功能不僅限於養育小
野豬，還被用來保暖。

屋頂的芒草莖都是朝著同一個方向排列，
也會使用很多平坦的蕨類葉子，讓雨水無法滲入窩裡。
為了避免體溫容易流失的小野豬遭到風吹雨打，
野豬還真是費盡心思。

有這種專門為了避風避雨而搭建的窩巢，
也有為了確保安全、故意蓋在水上面的窩巢。

堵住河水，建造出水上窩巢

河狸有銳利的牙齒，能夠咬斷樹幹。

牠會蒐集樹木，用泥土固定，在靠近河川的地方建蓋山一般的窩巢。

接著到河川下游，同樣用樹幹和泥土建造一座水壩來擋住河水，

於是巢的周圍沉在水中，讓天敵無法靠近。

這樣就蓋好了一座安全又安心的水上窩巢。

建築師的履歷

美國河狸

Castor canadensis
河狸科河狸屬
英文：North American Beaver
全長：約80cm
棲息地：分布於北美的阿拉斯加
到墨西哥

擁有不會被水浸溼的毛皮，後腳有蹼，加上像槳一樣平板的尾巴，讓牠能夠輕鬆游泳，是擅長水濱生活的哺乳類。在齧齒類中，牠是僅次於水豚的第二大哺乳類。以植物為主食，用銳利的牙齒啃倒樹木之後，以樹皮和枝葉為生。

窩巢的製作法

1. 先咬斷樹幹，集中樹幹和樹枝建造一個窩巢。

2. 在下游蒐集木材，用泥土固定住，做成一座水壩。

3. 水會淹過巢的周圍，這樣就能避免天敵靠近。

除了人類，河狸是唯一會用自己的力量去改變生活環境的物種。

還曾發現長度超過100m、高3m以上的巨大水壩。

窩巢的內部是什麼模樣呢？

安全又安心的水上窩巢

水上的窩巢充滿了維護安全與安心的聰明智慧。

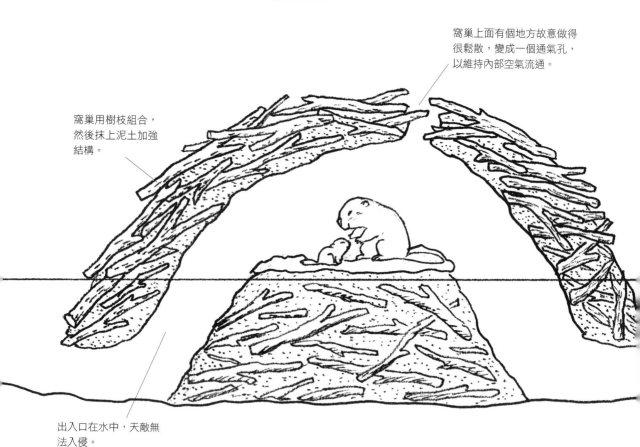

窩巢上面有個地方故意做得很鬆散，變成一個通氣孔，以維持內部空氣流通。

窩巢用樹枝組合，然後抹上泥土加強結構。

出入口在水中，天敵無法入侵。

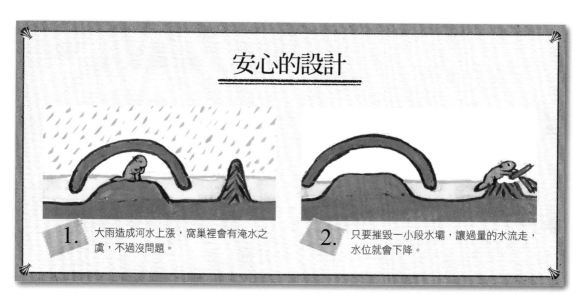

安心的設計

1. 大雨造成河水上漲，窩巢裡會有淹水之虞，不過沒問題。

2. 只要摧毀一小段水壩，讓過量的水流走，水位就會下降。

水壩的部分。這裡可以自行拆毀或修復，藉以調節水位。

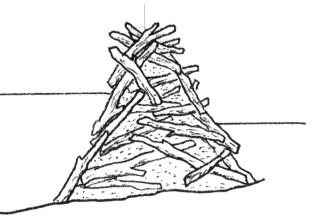

安全的設計

平常天敵難以接近水中的窩巢，冬天河水一結冰，狀況就變了。不過沒問題。

1. 河水結冰後，熊和野狼這些天敵就能接近窩巢。

2. 但窩巢蓋得很堅固，而且已經結凍，無法輕易毀壞。

3. 河狸會食用貯存在水中的樹枝，過著安全的生活。

一次生下1～6隻小河狸。

也有不一樣的水上窩巢。

湖面上好像浮著什麼東西

原來是水鳥的巢

南美洲安地斯山區的湖中，
可以看到角骨頂在湖中建造的水上鳥巢，
看起來就像漂浮在水上一樣，
但實際狀況又是如何呢？

建築師的履歷

角骨頂

Fulica cornuta
秧雞科骨頂雞屬
英文：Horned Coot
全長：約50cm
棲息地：分布於智利與阿根廷

在水邊棲息的秧雞類的鳥，有著俗稱「瓣足」（蹼腳）的大腳，腳趾上有瓣膜，可以用來划水，因此很擅長游泳，也適合在水邊行走。額頭的凸角其實是肉質的突起，伸縮自如。

堆積石頭作為地基所建造的鳥巢

**角骨頂會不斷蒐集石頭堆積在湖底，先製作一個地基，
然後啣起水草放在頂上製造鳥巢。**

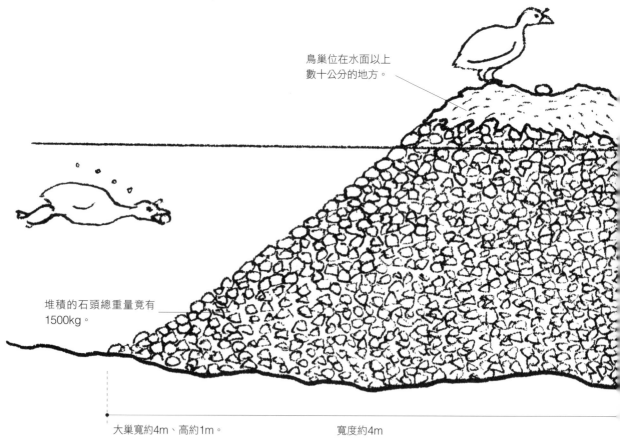

鳥巢位在水面以上
數十公分的地方。

堆積的石頭總重量竟有
1500kg。

大巢寬約4m、高約1m。

寬度約4m

為什麼要大費周章蓋鳥巢呢？

鳥巢位於距離湖岸數十公尺的水上。
繁殖區位於安地斯山脈的湖中，周圍沒有可以躲藏的地方，
要是把鳥巢蓋在水岸邊，就會遭到天敵襲擊。
為了讓天敵無法靠近，便把鳥巢蓋在湖上，避免天敵吃掉鳥蛋。
這也算是野生動物的智慧。

石頭是在岸邊撿來的，
有的大石頭重達500g。

高度約1m

建築師的履歷

紅冠水雞
Gallinula chloropus
秧雞科紅冠水雞屬
英文：Eurasian Moorhen
全長：約33cm
棲息地：舊大陸廣泛分布

同樣是秧雞科的紅冠水雞，
牠會彎折水草的莖，
交叉編織成一個平坦的鳥巢。

2008年的北京奧運，
有一座主場館被稱為
「鳥巢」，看起來就
像紅冠水雞的巢。

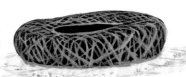

還有運用不同的方式在水上建造的鳥巢。

浮在水上的巢

居住在湖邊或池塘邊的小鸊鷉會蒐集水草等植物，
在水岸旁利用蘆葦等植物做地基，建造牠的漂浮鳥巢。
為了避免鳥巢被水沖走，會牢牢地綁在蘆葦的草莖上。

建築師的履歷

小鸊鷉

Tachybaptus ruficollis
鸊鷉科小鸊鷉屬
英文：Little Grebe
全長：約29cm
棲息地：廣泛分布於歐洲、非洲、
　　　　亞洲等地

生活於河川湖沼上，會潛入水中捕食小魚和小蝦的水鳥。經常出現在公園水池中。牠們會用草和落葉在蘆葦叢裡建造浮起的鳥巢，然後在裡面孵蛋並養育雛鳥。牠們的雙腳位於身體後方，適合潛水游泳。

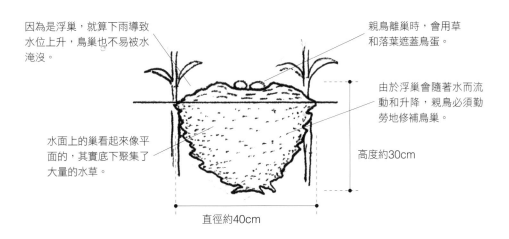

因為是浮巢，就算下雨導致水位上升，鳥巢也不易被水淹沒。

親鳥離巢時，會用草和落葉遮蓋鳥蛋。

由於浮巢會隨著水而流動和升降，親鳥必須勤勞地修補鳥巢。

水面上的巢看起來像平面的，其實底下聚集了大量的水草。

高度約30cm

直徑約40cm

孵出的雛鳥已經可以下水游泳，不過游累時，還是會爬到親鳥的背上。

天敵之一的蛇會游泳靠近浮巢，
這時親鳥會潛入水中把蛇驅走，
以保護鳥蛋和雛鳥的安全。

近年來蘆葦叢這類的環境日益減少，
所以浮巢常常改而建造於下沉在水中的樹枝上，
但還是很容易受到烏鴉和鷺類等天敵的攻擊。

也可以在距離水面有一段距離的地方築巢。

天敵無法靠近、離水面有段距離的鳥巢

厚嘴織巢鳥把鳥巢蓋在水邊生長的紙莎草上，
利用兩根紙莎草的莖建造出球形的巢。
剛做好的鳥巢還很柔軟，而且是綠色的，
經過太陽曝曬，綠草會馬上枯萎，
變成棕色的巢。

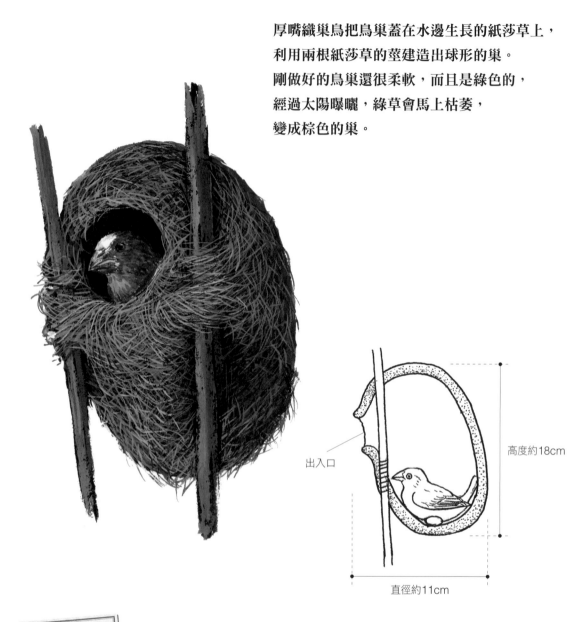

出入口

高度約18cm

直徑約11cm

建築師的履歷

厚嘴織巢鳥

Amblyospiza albifrons
織巢鳥科厚嘴織巢鳥屬
英文：Thick-billed Weaver
全長：約29cm
棲息地：廣泛分布於非洲各地

這是棲息在非洲的一種織
巢鳥，會在水邊草莖的高
處做出球形鳥巢。由於嘴
喙比一般的織巢鳥更厚，
因此而得名。

窩巢的製作法

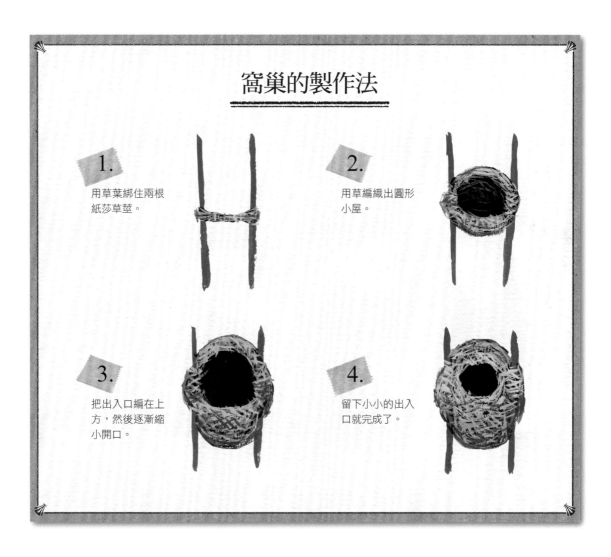

1. 用草葉綁住兩根紙莎草莖。

2. 用草編織出圓形小屋。

3. 把出入口編在上方，然後逐漸縮小開口。

4. 留下小小的出入口就完成了。

因為和織巢鳥是同類，懂得用草編織鳥巢，因而得名。
目前已知的織巢鳥總共有100種以上，
編織的窩巢造型和編織方法各有不同。
（第4頁的群居織巢鳥也屬於織巢鳥科。）

以河川為棲息地，天敵是鱷魚和河馬，因此刻意把鳥巢蓋在離水面高一點的地方，不讓牠們接近。

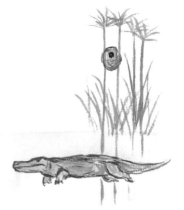

厚嘴織巢鳥的鳥巢出入口是橫向的。
但也有些鳥巢的出入口朝下。

離開水面、入口朝下的鳥巢

南非織巢鳥也懂得在水邊用水生植物的莖來建造鳥巢。

牠們和厚嘴織巢鳥（參30頁）一樣，把鳥巢蓋在離水面有段距離的高處。

雖然同樣在水邊織巢，但和厚嘴織巢鳥不同的是，

南非織巢鳥的出入口朝下，讓天敵無法接近。

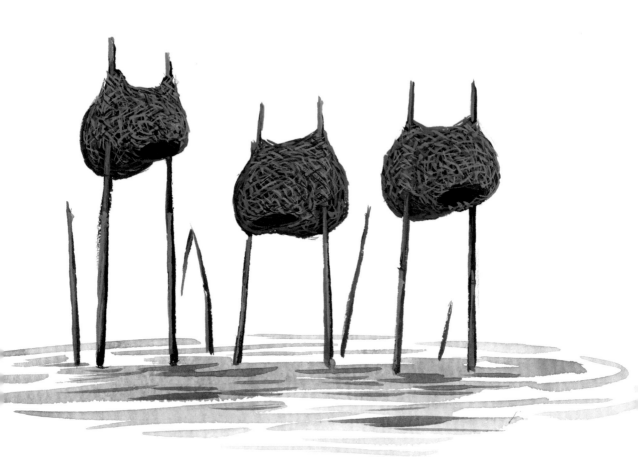

建築師的履歷

南非織巢鳥

Ploceus capensis
織巢鳥科織巢鳥屬
英文：Cape Weaver
全長：約18cm
棲息地：分布於南非

織巢鳥的一種，是南非才有的特有種。在繁殖期，公鳥的頭部與腹部會轉成鮮黃色，臉部變成橘色；母鳥則變成略帶橄欖色的黃色。主食是植物種子和昆蟲等。

窩巢織成蠶豆的造型。

公鳥會把棕櫚葉和禾本科植物的葉子撕成細條，編織成鳥巢。

牠和其他的織巢鳥屬一樣，會把窩巢蓋得高高的，

並把出入口做成朝下的方向。

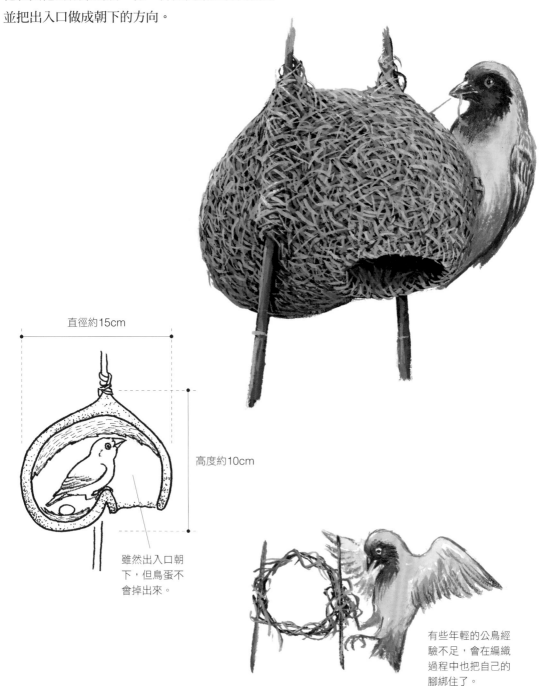

直徑約15cm

高度約10cm

雖然出入口朝
下，但鳥蛋不
會掉出來。

有些年輕的公鳥經
驗不足，會在編織
過程中也把自己的
腳綁住了。

如果鳥巢做得不好，有可能找不到伴侶。

母鳥會檢查鳥巢的編織狀態

這是織巢鳥屬當中名為黃胸織巢鳥所蓋的窩巢。

黃胸織巢鳥的棲息地有許多猴子，是牠們的天敵，

為了避免鳥蛋和雛鳥被偷襲，會在細樹枝上蓋出這種造型的鳥巢，

讓猴子難以接近。

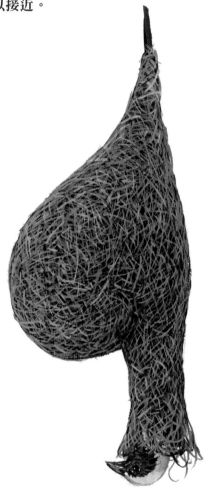

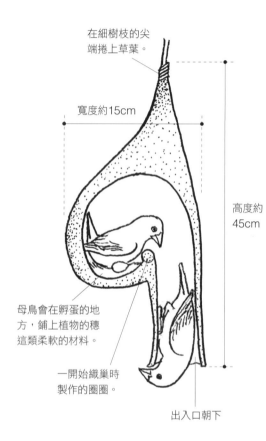

在細樹枝的尖端捲上草葉。

寬度約15cm

高度約45cm

母鳥會在孵蛋的地方，鋪上植物的穗這類柔軟的材料。

一開始織巢時製作的圈圈。

出入口朝下

建築師的履歷

黃胸織巢鳥

Ploceus philippinus
織巢鳥科織巢鳥屬
英文：Baya Weaver
全長：約15cm
棲息地：分布於印度到東南亞一帶

雀科織巢鳥的一種。繁殖期的公鳥就如其名，胸部羽毛會變成鮮黃色，臉變成茶褐色。母鳥的羽色則類似麻雀那樣樸素。以植物的種子為主食。

窩巢的製作法

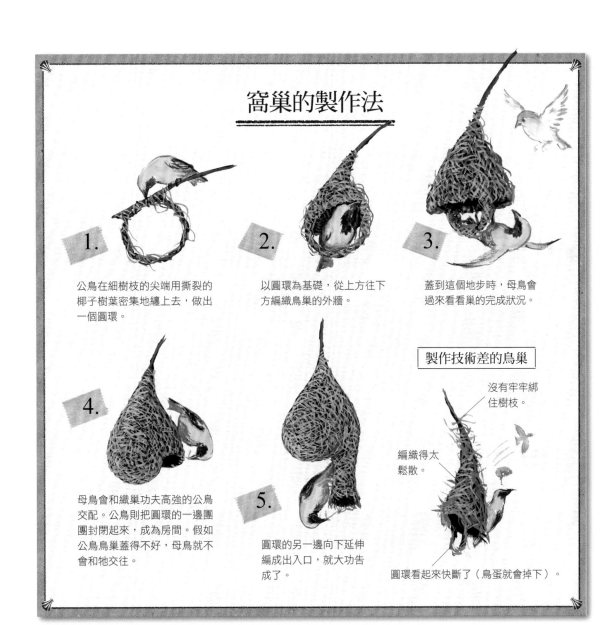

1. 公鳥在細樹枝的尖端用撕裂的椰子樹葉密集地纏上去,做出一個圓環。

2. 以圓環為基礎,從上方往下方編織鳥巢的外牆。

3. 蓋到這個地步時,母鳥會過來看看巢的完成狀況。

4. 母鳥會和織巢功夫高強的公鳥交配。公鳥則把圓環的一邊團團封閉起來,成為房間。假如公鳥鳥巢蓋得不好,母鳥就不會和牠交往。

5. 圓環的另一邊向下延伸編成出入口,就大功告成了。

製作技術差的鳥巢

沒有牢牢綁住樹枝。

編織得太鬆散。

圓環看起來快斷了(鳥蛋就會掉下)。

鳥因為要在空中飛行,體重必須很輕,
所以就建造鳥巢,把鳥蛋放在巢裡。
看看黃胸織巢鳥的鳥巢造型,
就像孕婦的肚子一樣呢。

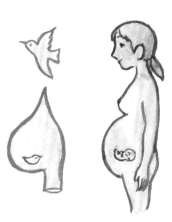

也有同樣造型、但出入口較短的窩巢。

黑臉織巢鳥的巢長得和黃胸織巢鳥（參34頁）的巢很像，
雖然都是吊掛式且出入口朝下，但出入口的長度較短。
當鳥巢編織到一定程度時，公鳥就會站在集上鳴叫，以吸引母鳥。

先把樹葉纏繞在
樹枝尖端。

屋頂部位改用其
他素材，能夠避
免下雨時滲水。

高度約
10cm

出入口朝下

寬度約10cm

建築師的履歷

黑臉織巢鳥

Ploceus intermedius
織巢鳥科織巢鳥屬
英文：Lesser Masked Weaver
全長：約15cm
棲息地：分布於東非到南非北部

這種織巢鳥會將椰子葉撕成
細條，編織成球形的窩巢，
然後集體把窩巢建造在樹枝
上。公鳥、母鳥都具有黃色
羽毛，但公鳥的喙和眼睛周
圍都是黑色，看起來就像戴
了面具，因此得名。

像鈴鐺一樣垂掛的巢

織巢鳥大多過著群體生活，
所以常常會在同一棵樹上建造許多鳥巢。
鳥巢就像鈴鐺一樣吊掛著，
看起來像是樹木的裝飾品。

同屬的織巢鳥會蓋出各種各樣的窩巢

即使是同屬的織巢鳥，
也會因為種類不同而做出不同長度出入口的鳥巢。

建築師的履歷

大金織巢鳥

Ploceus xanthops
織巢鳥科織巢鳥屬
英文：Holub's Golden Weaver
全長：約18cm
棲息地：分布於非洲中部到
　　　　東南部

卡辛氏馬利布鳥的鳥巢有
很長的出入口。

建築師的履歷

卡辛氏馬利布鳥

Malimbus cassini
織巢鳥科精織鳥屬
英文：Cassin's Malimbe
全長：約17cm
棲息地：分布於非洲中西部

大金織巢鳥的巢，
出入口非常短。

不一定要用編織的，也有些織巢鳥採用其他方式建造鳥巢。

綁起樹枝、像籠子的鳥巢

紅頭織巢鳥在製作窩巢時並不是用草葉來編織，
而是把樹枝和樹枝綁在一起，形成鳥巢的形狀。

完成的鳥巢看起來就像籠子一樣，
可以直接看透到另一邊，乍看之下似乎蓋得很隨便，
其實樹枝之間連結得很牢固，不易損毀。
這個通風功能很好的鳥巢，
很適合紅頭織巢鳥棲息地的炎熱氣候。

高度約
35cm

直徑約14cm

窩巢的製作法

1.

咬斷小樹枝，剝下一部分的
樹皮。

2.

把剝了皮的樹枝和另一根樹
枝綁在一起，然後再綁上其
他的剝皮樹枝。

建築師的履歷

紅頭織巢鳥

Anaplectes rubriceps
織巢鳥科織巢鳥屬
英文：Red-headed Weaver
全長：約15cm
棲息地：分布於非洲

一如其名，是一種頭部和胸
部都是鮮紅色的織巢鳥，擅
長使用斷落的樹枝和枯枝來
建造窩巢。根據棲息地的不
同，頭部的紅色與黑色的分
布比例亦各有不同。

預防鳩占鵲巢

把鳥巢的出入口做得長長的，一方面可防止猴子和蛇的侵襲，
另一方面還能預防大杜鵑的鳩占鵲巢行為。
全世界總共有140種杜鵑，大多把自己的蛋下在其他鳥類的巢裡，
讓宿主的親鳥來養育，自己則從不孵蛋與餵養。

鳩占鵲巢的過程

2. 當杜鵑的雛鳥孵化出來後，會
把巢內的其他鳥蛋推出巢外。

1. 趁著親鳥不在時潛入，把窩巢中的鳥蛋
丟掉一個，自己則在巢裡生一個蛋。

3. 在宿主辛勤的餵養下，杜鵑的雛鳥日
益長大，甚至長的比宿主更大。但宿
主不會發覺異狀，還是會繼續餵養。

4. 由於紅頭織巢鳥的巢多了一個延長且
向下的出入口，身體較大的杜鵑根本
無法進入，也就不能在裡面生蛋了。

有通風性佳又涼爽的鳥巢，
也有保溫性好又暖和的鳥巢。

用絨毛材質做的溫暖鳥巢

攀雀會蒐集綿羊的毛，用嘴喙纏繞做成絨毛質地的鳥巢。

鳥巢非常柔軟，而且具有保溫效果。

攀雀製作鳥巢的時期，剛好是綿羊換冬毛的時期，

所以拔綿羊的舊毛並不會激怒牠們。

要是生長在沒有綿羊的地區，

也可以使用植物的絨毛和穗來做巢。

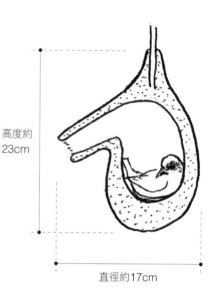

高度約
23cm

直徑約17cm

建築師的履歷

攀雀

Remiz pendulinus
攀雀科攀雀屬
英文：Eurasian Penduline Tit
全長：約11cm
棲息地：分布於中國北部至中亞及
歐洲北部

棲息在亞洲與歐洲的小鳥，有
時會飛到日本過冬。公鳥的頭
部是灰色的，眼睛周圍有粗黑
線；母鳥的眼睛周圍則是褐
色。日文名叫做「吊巢雀」，
顯然就是因為牠用羊毛在樹上
做出倒吊鳥巢的由來。

窩巢的製作法

1.	2.	3.	4.
在水邊生活，利用楊柳樹枝和羊毛來編織主幹。	編織到下半時，兩端就可以連結起來。	開始在下半部的周圍編織牆壁。	最後把出入口做成朝橫向延伸。

因為鳥巢固定在河水上面垂下樹枝的尖端，天敵難以接近。

據說蒙古的游牧民族會把攀雀的老巢拔下來，給小朋友當鞋子。

為了騙過天敵，
有些鳥會在巢上製造另一個假的出入口。

特製偽出入口的鳥巢

非洲攀雀的主要天敵是猴子和蛇。

為了避免雛鳥或鳥蛋在巢中遭到襲擊，牠們特地製造了一個假的出入口。

究竟哪一個才是真正的出入口呢？

非洲攀雀的棲息地一到夜裡，氣溫就會降低，所以牠們蒐集植物的絨毛和穗，填滿巢的縫隙，保持鳥巢的溫暖。

建築師的履歷

非洲攀雀

Anthoscopus minutus
攀雀科非洲攀雀屬
英文：Cape Penduline Tit
全長：約10cm
棲息地：分布於非洲西南部

一種會把鳥巢掛在樹枝尖端的攀雀，是棲息在非洲的攀雀中最小的一種。鳥喙比較尖，便於捕食昆蟲。製作的鳥巢會設置假的出入口。

天敵一開始會去尋找鳥巢的出入口，而且會找大的那一個。

其實在大出入口上方像是屋簷的小出入口，才是真的出入口。

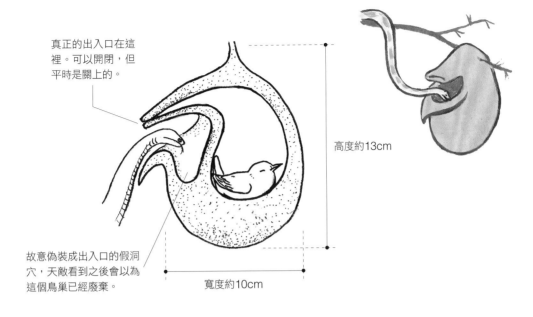

真正的出入口在這裡。可以開閉，但平時是關上的。

高度約13cm

寬度約10cm

故意偽裝成出入口的假洞穴，天敵看到之後會以為這個鳥巢已經廢棄。

窩巢的出入方式

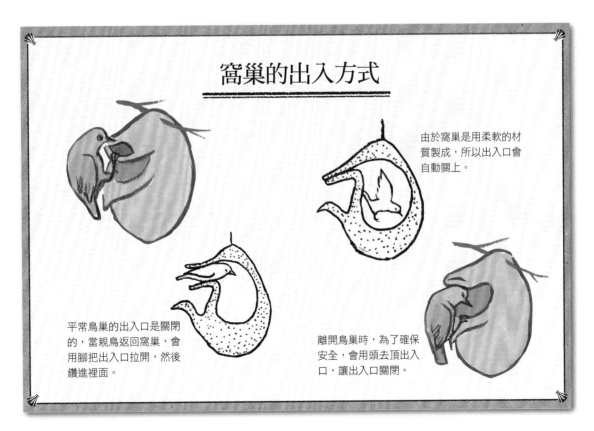

由於窩巢是用柔軟的材質製成，所以出入口會自動關上。

平常鳥巢的出入口是關閉的，當親鳥返回窩巢，會用腳把出入口拉開，然後鑽進裡面。

離開鳥巢時，為了確保安全，會用頭去頂出入口，讓出入口關閉。

也有在危急時刻準備緊急逃生口的窩巢。

有緊急逃生口的鳥巢

白眉織巢鳥所製造的巢不只一個出入口，
還有另一個專門作為緊急逃生用的出入口。

白眉織巢鳥會蒐集樹枝和草葉，做出一個外觀像橄欖球的鳥巢。
巢的兩端各有一個開口是它的特徵。
牠們棲息地的主要天敵是蛇，所以出入口之外又做了緊急逃生口，
讓牠們在遭遇襲擊時可以隨時逃離。

白眉織巢鳥

Plocepasser mahali
雀科雀織巢鳥屬
英文：White-browed Sparrow Weaver
全長：約15cm
棲息地：分布於非洲東南部

屬於分布在非洲東南部的小鳥。整體數量顯著增多，分布範圍也有擴大傾向。雖然是群體繁殖的鳥種，不過鳥群中並非全部都是成鳥，幼鳥還是需要成鳥的協助，學會守護自己的領域。

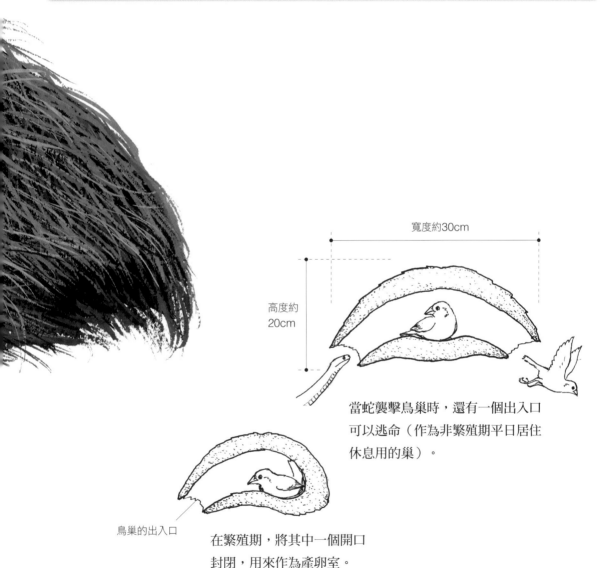

寬度約30cm

高度約20cm

當蛇襲擊鳥巢時，還有一個出入口可以逃命（作為非繁殖期平日居住休息用的巢）。

鳥巢的出入口

在繁殖期，將其中一個開口封閉，用來作為產卵室。

有一種掛得非常高且長度非常長的鳥巢。

因為有群體建造鳥巢的習慣，所以一棵大樹上常會掛著許多下垂的巢。

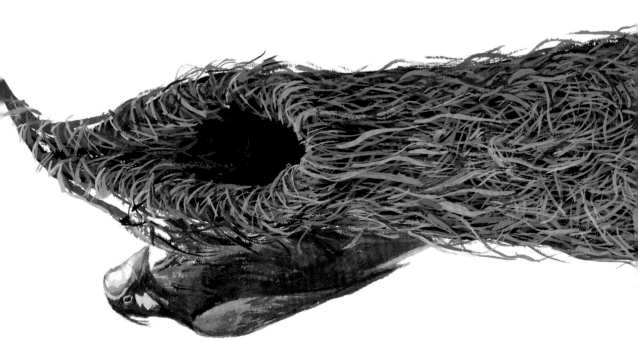

高高掛起、長長的吊掛鳥巢

褐色擬椋鳥也是會用草編織窩巢的鳥，牠們的鳥巢長達1公尺，掛在30公尺高的大樹樹枝上。

儘管天敵猴子爬到樹上，牠的手也伸不進去搆到鳥巢裡。

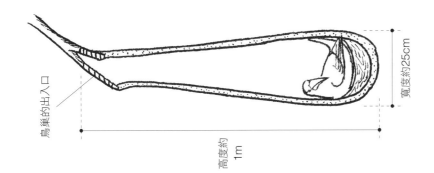

鳥巢的出入口

寬度約25cm

高度約
1m

還有其他防止天敵接近鳥巢的方法。

褐色擬椋鳥

Psarocolius montezuma
擬黃鸝科大吊巢鳥屬
英文：Montezuma Oropendola
全長：約48cm
棲息地：分布於墨西哥與巴拿馬

這種大型鳥類生活在空地和田野等
處，和人類的生活環境相當靠近。
屬雜食性。吃昆蟲或果實，也喜歡
吃花蜜。會站在樹枝上展開翅膀和
尾羽，頭朝下，發出沒什麼變化的
叫聲，這是牠獨特的求偶行為。

利用蜜蜂當守衛的鳥

黃腰酋長鳥會把自己的巢蓋在蜂窩的旁邊，
當猴子和白鼻浣熊這類天敵接近鳥巢時，
蜜蜂會以為自己的蜂窩將要遭到攻擊，
而挺身反擊。

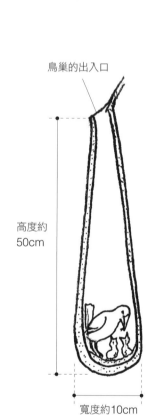

鳥巢的出入口

高度約
50cm

寬度約10cm

建築師的履歷

黃腰酋長鳥

Cacicus cela
擬黃鸝科吊巢鳥屬
英文：Yellow-rumped Cacique
全長：約30cm
棲息地：分布地區從中美洲到南美
　　　　洲東半部

黃腰酋長鳥比褐色擬椋鳥
（參46頁）小一圈，全身幾
乎是黑色，但下腹和尾上覆
羽是鮮黃色，眼睛虹膜是藍
色。嘴巴長又尖，屬雜食
性，愛吃昆蟲和水果。

窩巢的製作法

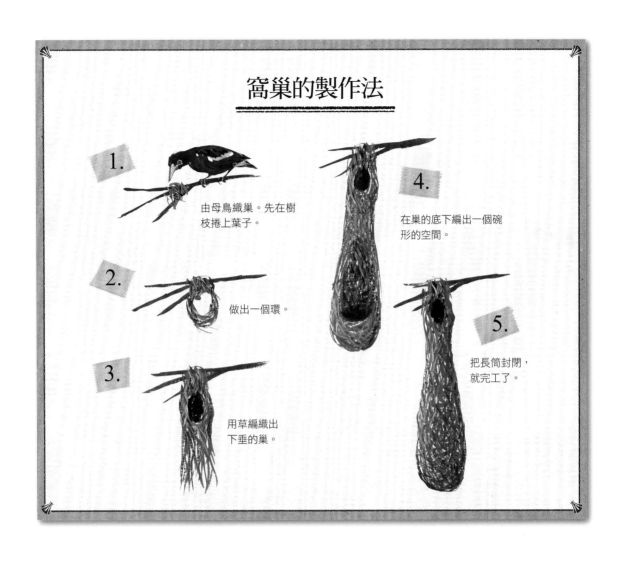

1. 由母鳥織巢。先在樹枝捲上葉子。

2. 做出一個環。

3. 用草編織出下垂的巢。

4. 在巢的底下編出一個碗形的空間。

5. 把長筒封閉，就完工了。

黃腰酋長鳥是否送了什麼好處給那些蜜蜂？
為什麼蜜蜂不會攻擊黃腰酋長鳥呢？

很多黃腰酋長鳥都把鳥巢蓋在同一棵樹上。對胡蜂而言，周圍有那麼多鳥巢或許對牠們也比較安全。

除了蜜蜂的毒針，還有更銳利的東西可以提供保護。

被仙人掌的尖刺保護的鳥巢

仙人掌鷦鷯一如其名，
會利用仙人掌來建造鳥巢，
四周環繞的仙人掌尖刺可以提供保護。

鳥巢的出入口為橫向，
最裡面是產房（孵蛋的房間）。
周圍都是密集的仙人掌尖刺，
天敵實在難以接近。

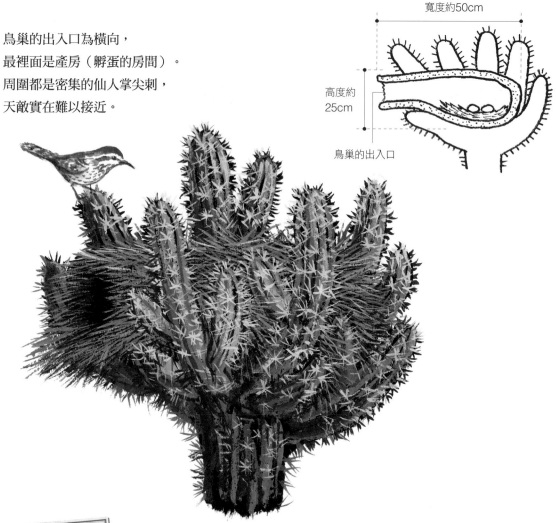

寬度約50cm

高度約
25cm

鳥巢的出入口

▎**建築師的履歷**

仙人掌鷦鷯

Campylorhynchus brunneicapillus
鷦鷯科仙人掌鷦鷯屬
英文：Cactus Wren
全長：約22cm
棲息地：分布於美國東南部到
　　　　　墨西哥

生活在美國東南部到墨西哥
沙漠地帶的一種鷦鷯。特徵
是有長長的尾翅和向下彎曲
的鳥喙。屬雜食性，會吃昆
蟲、小動物、果實和種子。
水分大多從食物中攝取。

走鵑也懂得用仙人掌來建造盤子形狀的鳥巢。

雖然天敵響尾蛇覬覦鳥蛋，

可是因為有仙人掌的尖刺，使得牠無法接近鳥巢。

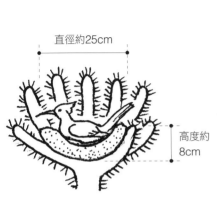

直徑約25cm

高度約
8cm

也會使用蛇脫下來的
皮當做巢的材料。

建築師的履歷

走鵑

Geococcyx californianus
杜鵑科走鵑屬
英文：Greater Roadrunner
全長：約55cm
棲息地：分布於美國東南部到
　　　　墨西哥

在沙漠和草原地帶生活的大
型鳥類。雙腳非常發達，雖
然能在天上飛，但平常在地
面上行動時，能以時速20公
里以上的速度奔馳。尾羽非
常長。屬雜食性，會吃蜥蜴
類、蛇類及果實。

【用尖刺來保護自己的生物】

印度鬃豪豬　　　　　　　大薊

在生存競爭嚴酷的自然界，
自己要活下去，子孫才能傳承。
身上長尖刺也是方法之一。

有些生物會把窩巢帶著一起走。

51

帶著窩巢一起走的章魚

椰子章魚會帶著兩片貝殼或椰子殼這類堅硬的東西，
空間足以容納自己的身體，帶著一起走。
當牠感覺到危險逼近時，就會趕緊溜進這個窩裡關上蓋子。

即使天敵接近
也不怕。

建築師的履歷

椰子章魚

Amphioctopus marginatus
章魚科章魚屬
英文：Coconut Octopus
全長：約30cm
棲息地：分布於印度洋至西太平洋
　　　　的溫暖海域

為了保護身體，習慣帶著
兩片貝殼一起走的一種章
魚，這種特殊習性被稱為
「帶貝殼行動」，也會利
用椰子和人工物體，只要
發現能把自己的身體塞進
去的容器都好。

為了保護自己，運用各種物品。

只要身體能裝進去，不管是兩片貝殼還是陶器、瓶罐等人工物體都可利用。因為生活在熱帶，最容易找到椰子殼和貝殼等東西，所以又叫做「椰子章魚」。

【用殼保護自己的生物】

蝸牛
從一出生起就帶著殼。

寄居蟹
隨著身體成長，會去找符合身體居住的外殼。

扁船蛸
造殼章魚的同類（只有雌性會造殼）。

貓咪也喜歡窩在紙箱裡，或許因此得到很大的安全感。

也有自己分泌液體來做窩巢的生物。

用自身分泌的液體來製作窩巢

尾海鞘的外型看起來像蝌蚪，這類浮游生物遍布全世界各大海洋，
牠們會自行分泌液體，製造出名為「房子」的透明膠質結構物，
並且住在裡面，在海潮中漂流，捕食其他的浮游生物。

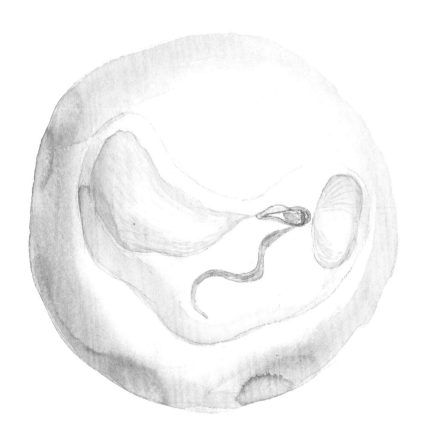

建築師的履歷

尾海鞘

Oikopleura sp.
尾海鞘科住囊蟲屬
全長：約5mm
棲息地：全世界各海域

海鞘的一種，屬於尾索動物，歸類為四處浮游的小海鞘。外型長得像蝌蚪，這一點雖然與海鞘共通，但海鞘在成長後會變態，附著在海底。相對的，尾海鞘一輩子以蝌蚪的模樣在海中過著浮游的生活。

「房子」的製作法

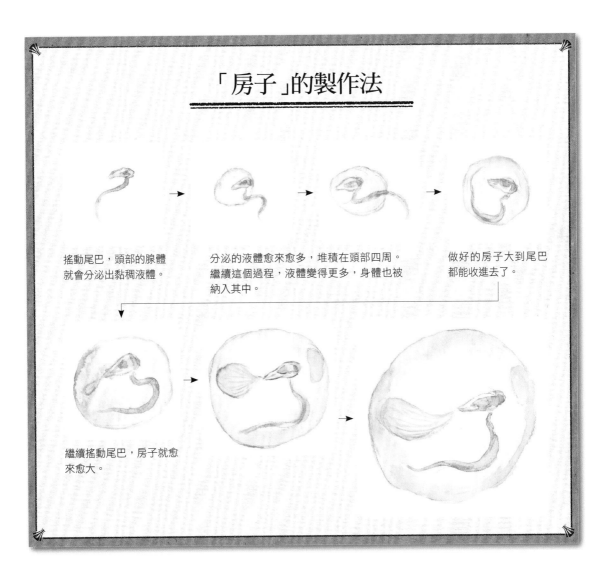

搖動尾巴，頭部的腺體
就會分泌出黏稠液體。

分泌的液體愈來愈多，堆積在頭部四周。
繼續這個過程，液體變得更多，身體也被
納入其中。

做好的房子大到尾巴
都能收進去了。

繼續搖動尾巴，房子就愈
來愈大。

尾海鞘製作房子的過程只需要幾分鐘。

無論何時、何地、需要多少個，牠都能做出來。

在房屋的入口處有一個濾網，

幫牠過濾適合吞食的大小食物進入，一路送到嘴邊。

當濾網用久而阻塞時，牠就會拋棄舊房子，另造新家，

被丟棄的舊房子就變成其他生物的食物。

高度約
8mm

直徑約8mm

也有這種捕食其他生物、在獵物體內生養小孩的生物。

直接把獵物當成窩的生物

隱巧戎是全長約3公分的甲殼類（與蝦子、螃蟹是親戚）。
牠會捕食浮游的海鞘（例如燐海樽科或紐鰓樽科），
以獵物的透明膠質身體為食。當獵物被吃掉體內組織後，
隱巧戎就把外部加工做成桶形，
然後住在裡面、產卵繁殖。

建築師的履歷

隱巧戎

Phronima sedentaria
巧戎科巧戎屬
英文：Deep-sea Pram Bug
全長：約3cm
棲息地：遍布於太平洋至印度洋與
　　　　大西洋

長得像透明蝦的小型甲殼類，有兩
隻巨大的鉗子，外觀就像異形一樣
恐怖。會偷襲並捕食燐海樽科或紐
鰓樽科，然後用獵物的身體當做窩
巢的奇特生態異形。

沖水母的幼體　　　　　　　　柳水母類　　　　　　　　燈籠水母類

生下幼體後，一邊吃著搖籃般的窩巢外側的透明膠質，
還會進入母的隱巧戎抓到的新獵物體內，以吃水母等生物長大。
搖籃的外觀很像是桶子，由母親保護，
所以日文稱為「樽迴」（保護桶子的生物）。

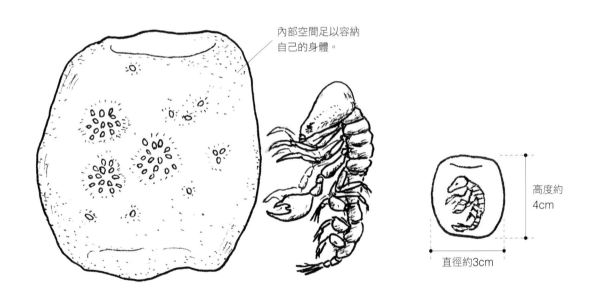

內部空間足以容納
自己的身體。

高度約
4cm

直徑約3cm

在大海中，這麼小的生物也會為了養育下一代
而創造一個安全的空間。

水中也有會製造窩巢的魚。

魚所造出的球形窩巢

蝦夷富魚是住在北海道的一種多刺魚。

公魚會蒐集水草編織成球形窩巢，母魚則是在窩巢裡產卵。

等卵孵化之後，公魚會照顧小魚直到牠們長大。

建築師的履歷

蝦夷富魚

Pungitius tymensis
棘背科多刺魚屬
英文：Sakhalin Stickleback
全長：約6cm
棲息地：分布於日本北海道和庫頁
島的河川裡

在日本，只有北海道才能找到這種魚，是多刺魚的一種。喜歡水流平緩、水草茂密的河川。在富魚類和系魚類中，牠算是背鰭非常尖銳、魚身很流線的魚種。4～7月會做出球形窩巢，讓母魚產卵。

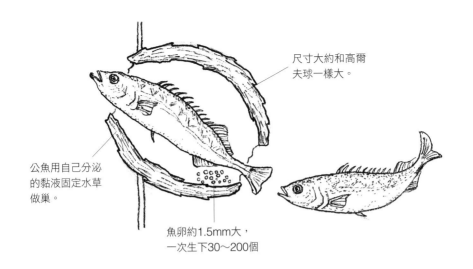

尺寸大約和高爾夫球一樣大。

公魚用自己分泌的黏液固定水草做巢。

魚卵約1.5mm大，一次生下30～200個

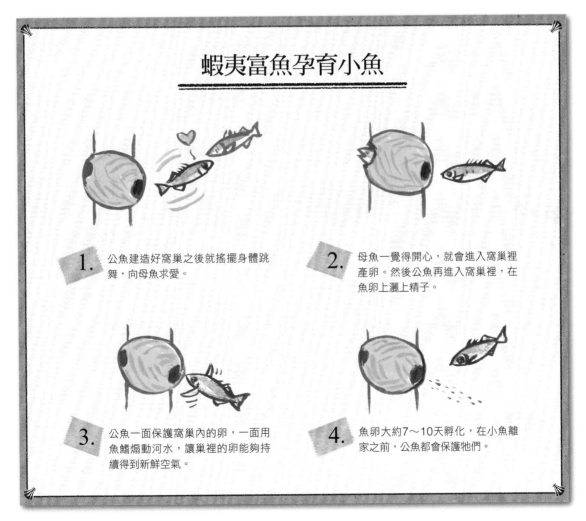

蝦夷富魚孕育小魚

1. 公魚建造好窩巢之後就搖擺身體跳舞，向母魚求愛。

2. 母魚一覺得開心，就會進入窩巢裡產卵。然後公魚再進入窩巢裡，在魚卵上灑上精子。

3. 公魚一面保護窩巢內的卵，一面用魚鰭煽動河水，讓巢裡的卵能夠持續得到新鮮空氣。

4. 魚卵大約7～10天孵化，在小魚離家之前，公魚都會保護他們。

同樣是球形窩巢，卻是原野上的生物所建造的。

用草莖製作球形窩巢

巢鼠是住在河邊草原上的世界最小鼠類，
懂得使用芒草和茅草等植物的莖，
纏上植物的葉子製作出球形的窩巢。

建築師的履歷

巢鼠

Micromys minutus
鼠科巢鼠屬
英文：Harvest Mouse
全長：6～7cm
棲息地：廣泛分布於歐洲到亞洲

世界最小的一種老鼠。用禾本科植
物的莖製作出球形窩巢。因為牠有
長尾巴和四肢，能夠在離地很遠的
「空中」自在地移動。會因應季節
而改變窩巢的高度，隆冬時節則鑽
到地洞裡生活。

兩種不同功能的窩巢

巢鼠所製作的球形窩巢，
可分為用於養育幼鼠和作為休息、臨時避難兩種。

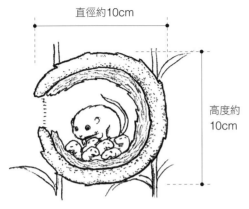

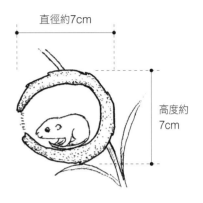

用於養育幼鼠的窩巢比較大，
而且很堅固。內部會鋪上茅草
穗等柔軟材質。

作為臨時避難、休息用的窩巢
尺寸比較小，而且不會做得很
精緻。

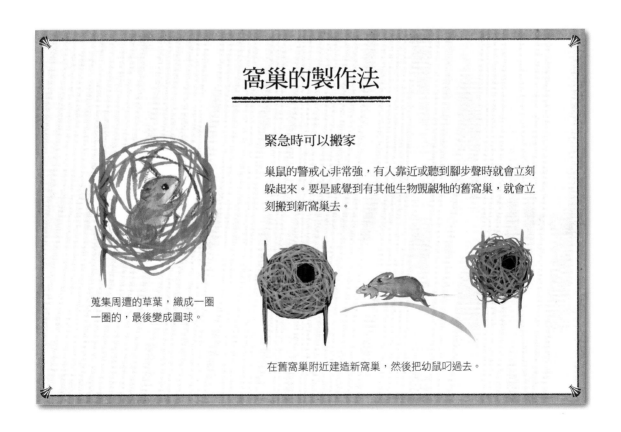

窩巢的製作法

蒐集周遭的草葉，織成一圈
一圈的，最後變成圓球。

緊急時可以搬家

巢鼠的警戒心非常強，有人靠近或聽到腳步聲時就會立刻
躲起來。要是感覺到有其他生物覬覦牠的舊窩巢，就會立
刻搬到新窩巢去。

在舊窩巢附近建造新窩巢，然後把幼鼠叼過去。

也有在樹上建造球形窩巢的生物。

樹上的球形窩巢

日本栗鼠會蒐集小樹枝、枯葉、樹皮和藤蔓，

在樹的主幹與樹枝之間建造橫向出入口的窩巢。

日本栗鼠是白晝活動的齧齒類，早上離開窩巢，傍晚返回。

每一隻栗鼠都會在自己的活動範圍內建造好幾個窩巢，以因應不同狀況使用。

建築師的履歷

日本栗鼠

Sciurus lis
栗鼠科栗鼠屬
英文：Japanese Squirrel
全長：30～40cm
棲息地：分布於日本本州、四國、
九州等地

這是日本特有種的栗鼠，尾巴又大又軟，可以快速地在地面和樹上走來走去。吃植物維生，例如植物的果實和種子，尖銳的牙齒能咬開鬼胡桃的堅硬外殼。平時會把多餘的橡實和胡桃埋在土裡貯藏，冬天糧食短缺時，就會挖出來食用。

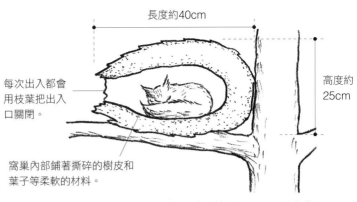

長度約40cm

每次出入都會
用枝葉把出入
口關閉。

高度約
25cm

窩巢內部鋪著撕碎的樹皮和
葉子等柔軟的材料。

在距離地面5～20m處築巢。

松鴉是烏鴉的同類，也會選在主幹和樹枝之間建造差不多大小
的碗狀鳥巢，所以從下往上看時，常會讓人誤認是栗鼠的窩。
但松鴉會在鳥巢中央產卵孵蛋，使用的材料比較柔軟細緻，
而且沒有栗鼠窩巢的橫向出入口，由此可以辨別。

栗鼠的窩巢老
舊之後，就會
被棄置不顧。

建築師的履歷

松鴉

Garrulus glandarius
鴉科松鴉屬
英文：Eurasian Jay
全長：約33cm
棲息地：廣泛分布於歐洲、非洲西
　　　　　北部、中東、亞洲

身材和鴿子差不多大的一種松鴉。
屬雜食性，吃昆蟲、果實和種子。
「結、結」的叫聲是英文名「Jay」
的由來，也很擅長學習其他鳥類的
叫聲。牠和日本栗鼠一樣，會把橡
實塞在樹皮的縫隙間，冬天再拿出
來食用。

栗鼠的窩巢是長長的橢圓形，
還有一種生物會蒐集樹葉，製作出像萵苣的窩巢。

萵苣造型的窩巢

住在日本森林中的日本睡鼠

會蒐集枯葉，搬到樹椏上、岩石上或樹洞裡，

打造出一個萵苣形狀的窩巢。

如果是用來生養幼鼠的窩巢，則會使用樹皮和苔蘚來編織，

然後在內部鋪上苔蘚，讓幼鼠避寒。

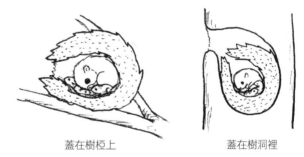

蓋在樹椏上　　　　　　　蓋在樹洞裡

建築師的履歷

日本睡鼠

Glirulus japonicus
睡鼠科睡鼠屬
英文：Japanese Dormouse
全長：10～15cm
棲息地：日本的本州、四國、九州

住在日本森林的一種齧齒類，是日本才有的特有種。有長長的鬍鬚，背上有一道黑線是辨識的特徵。別名「山老鼠」。屬雜食性，會吃花蜜和植物的果實，也吃昆蟲類。

大家都知道睡鼠是一種會冬眠的生物，
只要預先儲備足夠的營養，等到氣溫一下降，
牠們就會蜷起身體，開始冬眠。
牠們會因應不同的狀況，像是在樹洞或樹皮縫隙間、
土裡或落葉下面、巢箱或民宅等各種地方，
讓自己體溫降低、抑制代謝，
不吃不喝地持續冬眠狀態。

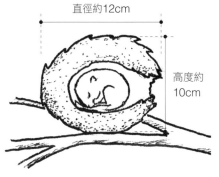

睡鼠會改造棄置不用的舊鳥巢，用枯
葉來蓋屋頂，做成自己的巢。

還有更大的生物在樹上建造窩巢。

鳥有鳥巢，哺乳類也有巢

在中型哺乳類中，長鼻浣熊是少見會在樹上搭建窩巢生活的哺乳類，
窩巢的造型幾乎和鳥巢一樣。

建築師的履歷

長鼻浣熊

Nasua nasua
浣熊科長鼻浣熊屬
英文：Ring-tailed Coati
全長：80～130cm
棲息地：北美洲南部至南美洲

有著又長又尖的鼻子以及尾巴
有很多橫紋的哺乳類。擅長爬
樹，在樹上養育小浣熊，也在
樹上生活與活動。通常是許多
母浣熊帶著小浣熊組成10～20
隻的群體共同生活，食物是昆
蟲、小動物、果實等。

在離地面10m左右的樹上，把周圍的樹枝和樹葉蒐集起來，製作出碗形窩巢。有繁殖用的巢，也有休息用的巢。

直徑50～55cm

也有沿用其他鳥巢的浣熊

自己並不製作巢穴，
而是沿用飾冠鷹鵰等大型鳥類棄置不用的舊鳥巢。

建築師的履歷

飾冠鷹鵰

Spizaetus ornatus
鷲鷹科熊鷹屬
英文：Ornate Hawk-eagle
全長：56～69cm
棲息地：分布於墨西哥東南部到阿根廷北部

有些生物喜歡在高高的樹上蓋巢，
也有些生物喜歡在地底下蓋巢。

這是什麼動物的窩巢？

其實，這是鼴鼠的窩。

鼴鼠會在地下挖掘隧道，捕捉蚯蚓和昆蟲來吃。
隧道裡有好幾個房間，為了養育小鼴鼠，
牠們會在地洞裡建造球形窩巢。

深度約15cm

高度約5cm

建築師的履歷

日本小鼴鼠

Mogera imaizumii
鼴鼠科鼴鼠屬
英文：Lesser Japanese Mole
全長：約14cm
棲息地：分布於日本本州中部以北

在地下挖掘隧道、以蚯蚓和昆蟲為食的哺乳類。雖然眼睛已經退化，但鬍鬚的觸覺很靈敏，嗅覺非常發達。為了方便挖洞，前腳長在身體兩側。在野地上看到的鼴鼠丘並不是鼴鼠的窩，而是牠挖掘坑道時所搬出來的廢土。

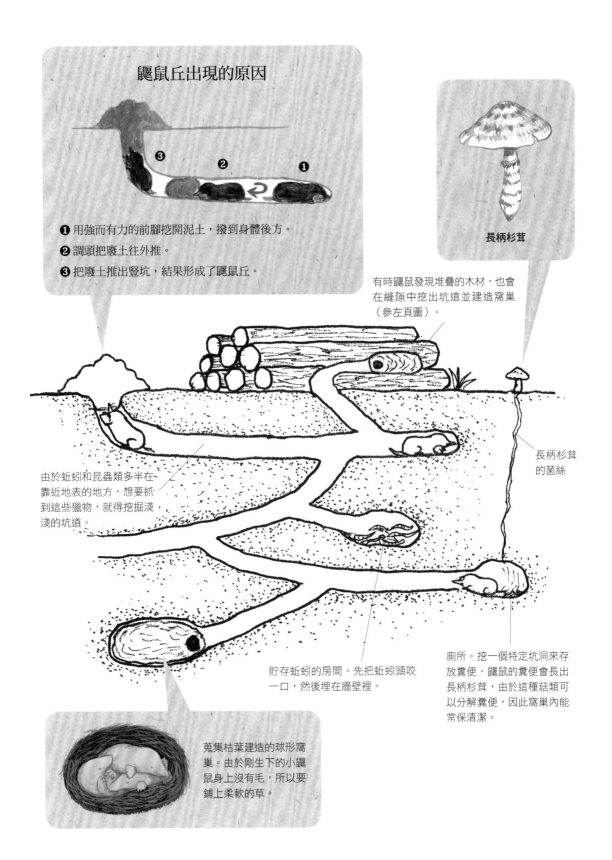

鼴鼠丘出現的原因

❶ 用強而有力的前腳挖開泥土，撥到身體後方。

❷ 調頭把廢土往外推。

❸ 把廢土推出豎坑，結果形成了鼴鼠丘。

長柄杉茸

有時鼴鼠發現堆疊的木材，也會在縫隙中挖出坑道並建造窩巢（參左頁圖）。

長柄杉茸的菌絲

由於蚯蚓和昆蟲類多半在靠近地表的地方，想要抓到這些獵物，就得挖掘淺淺的坑道。

貯存蚯蚓的房間。先把蚯蚓頭咬一口，然後埋在牆壁裡。

廁所。挖一個特定坑洞來存放糞便，鼴鼠的糞便會長出長柄杉茸，由於這種菇類可以分解糞便，因此窩巢內能常保清潔。

蒐集枯葉建造的球形窩巢。由於剛生下的小鼴鼠身上沒有毛，所以要鋪上柔軟的草。

有些窩巢蓋的就像是迷宮一般。

69

像迷宮一樣互相連結的地下巢穴

歐亞獾是一種會挖洞築巢的動物，算是鼬鼠的近親。

歐亞獾的巢穴通常有多個出入口，而且在地下隧道裡設有好幾個房間，

有時隧道長度加起來長達50～100公尺。

英文把歐亞獾的巢穴稱做「Set」（巢穴隧道網）。

有些「Set」甚至存在了數百年，從中世紀起就使用到現在，

擁有100多個出入口、50多個房間，隧道總長幾乎有1公里長，

形成一座廣大的地下迷宮。

建築師的履歷

歐亞獾

Meles meles
鼬科獾屬
英文：Eurasian Badger
全長：約80cm
棲息地：分布區域很廣，包括
　　　　歐洲、中東、亞洲

流線的體型配上短腳的哺乳類。擅長用強而有力的前腳與爪子挖掘洞穴。屬雜食性，會捕食鼬鼠、老鼠等小動物，以及蚯蚓和植物的根部。會在地下挖掘繁複的隧道和窩巢。

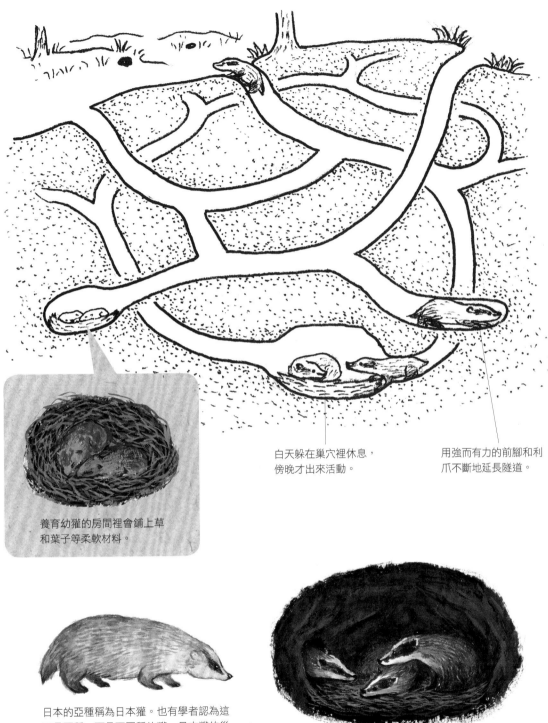

白天躲在巢穴裡休息，
傍晚才出來活動。

用強而有力的前腳和利
爪不斷地延長隧道。

養育幼獾的房間裡會鋪上草
和葉子等柔軟材料。

日本的亞種稱為日本獾。也有學者認為這
不是亞種，而是不同種的獾。日本獾的巢
穴隧道網比較短，不像歐亞獾那麼長。

同一個巢穴裡可容納三組家庭生活。

兔子也是會挖掘洞穴做窩巢的哺乳類。

會挖洞穴的兔子和不挖洞穴的兔子

住在歐洲的穴兔也會在地下製作窩巢，由長長的通道連接幾個房間，

英文稱這種巢穴網為「Warren」（迷宮建築），

由一隻公兔搭配數隻母兔組成家庭一起生活。

地下隧道裡，每隻母兔都有專用寢室，還設置了緊急逃生口。

至於生養小兔子的育兒用窩巢，則會另外建造。

建築師的履歷

歐洲穴兔

Oryctolagus cuniculus
兔科穴兔屬
英文：European Rabbit
全長：約50cm
棲息地：原產於伊比利半島，現已
　　　　　引進至歐洲和澳洲

中型哺乳類，棲息於草原等糧食不虞匱乏且環境隱密的地方。長耳朵能夠很快地察覺到有無掠食者接近，然後用發達的後腳跳著快速逃離。

母兔在給幼兔餵奶之後，會用土蓋住巢穴出入口，避免鼬鼠等敵人侵襲。

穴兔的窩巢。底下會鋪一層柔軟的草和母兔的毛。

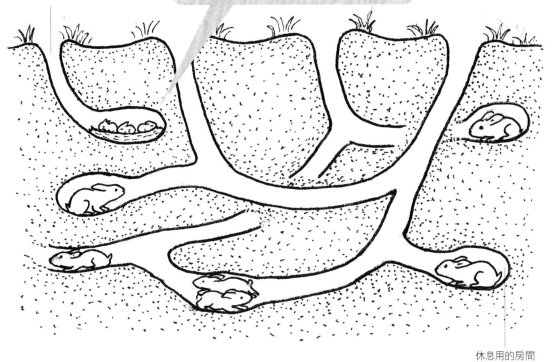

休息用的房間

穴兔和野兔

小野兔剛出生就長好了兔毛，能夠立刻活動，
所以野兔選擇在草原上找個窪地生下幼兔。
至於小穴兔，剛出生時則沒有長毛，處於裸體狀態，
眼睛也看不見，因此必須特別
挖掘窩巢來生產、飼育。

野兔的窩，就是窪地的草窩。

在日本棲息的日本野兔

有一種身上無毛的奇特生物，
在隧道裡你踩我、我踩你地生活著。

互相踩踏、和樂居住的窩巢

在東非的乾燥地帶，有一種完全不同的生物在此生活。

裸鼴鼠一如牠的名字，全身幾乎不長毛，像裸體一般，但依舊算是鼠類。

由一隻女王鼠（鼠群的領導者）和1～3隻繁殖用公鼠（和女王鼠交配用）、

5～6隻戰鬥鼠（防範天敵來襲）、一大堆的僕役鼠

（蒐集食物、挖掘坑道、清掃窩巢、照顧幼鼠等）所組成，

是階級分明的裸鼴鼠社會。有時一個族群多達300隻裸鼴鼠，是非常大的族群。

建築師的履歷

裸鼴鼠

Heterocephalus glaber
鼴鼠科裸鼴鼠屬
英文：Naked Mole Rat
全長：約12cm
棲息地：分布於東非

身上幾乎不長毛髮，有巨大的門牙，是極具特徵的一種齧齒類，只有東非才看得到，群體生活在地下隧道裡。具有嚴謹的階級意識，由女王指揮一切，甚至有些裸鼴鼠的工作是擔任幼鼠的棉被，非常奇特。

為什麼沒有長毛？

裸鼴鼠的坑道社區是長達1公里的隧道，而且有許多不同用途的房間，
例如養育幼鼠或休息的房間、通往植物塊根等糧食的房間等。
在隧道裡，溫度穩定地保持在攝氏30度左右，
因為不必離開洞穴，所以不需要毛髮來保暖。

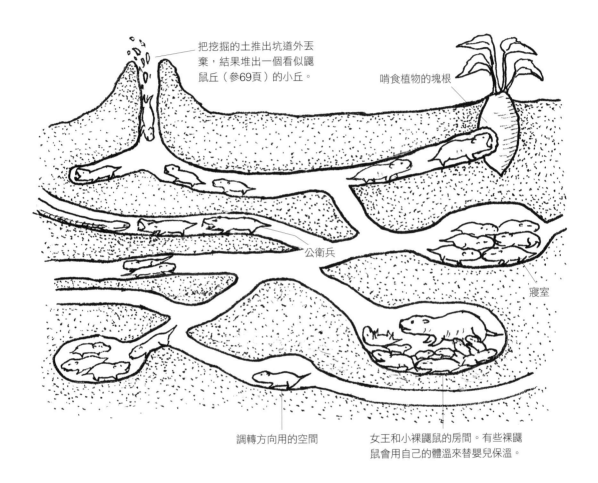

把挖掘的土推出坑道外丟棄，結果堆出一個看似鼴鼠丘（參69頁）的小丘。

啃食植物的塊根

公衛兵

寢室

調轉方向用的空間

女王和小裸鼴鼠的房間。有些裸鼴鼠會用自己的體溫來替嬰兒保溫。

坑道的挖掘方式

用強硬的門牙挖掘泥土，然後推到後方運走。全身肌肉有1/4集中在上下顎。

在坑道內交會

在隧道裡來來去去，所以會彼此踩來踩去。

還有一種具有空調系統的地下坑道。

住在有空調系統的坑道裡

草原犬鼠和居住在草原的松鼠是同一類。

雖然被稱為犬鼠，但牠們並不是犬類。

牠們由一隻公鼠、3～4隻母鼠和好幾隻年輕犬鼠組成一個大家庭，

共同挖出一個有好幾個房間的窩巢，過著群居生活。

巢穴的出入口稱做土丘，有低土丘（盾牌型）和

高土丘（圓錐型）兩個出入口。利用兩個土丘的高低差，

讓新鮮空氣能夠隨時流入坑道內。

草原犬鼠可說是懂得利用天然空調機能的動物。

建築師的履歷

黑尾草原犬鼠

Cynomys ludovicianus
松鼠科草原犬鼠屬
英文：Black-tailed Prairie Dog
全長：約40cm
棲息地：分布於北美洲

之所以稱為草原犬鼠，是因為牠們是在草原上挖掘坑道做巢穴的松鼠。發現天敵出現時，會用吠叫聲通知同伴，聽起來很像狗吠聲，所以稱為犬鼠。主要以植物為食，喜歡吃禾本科的草。

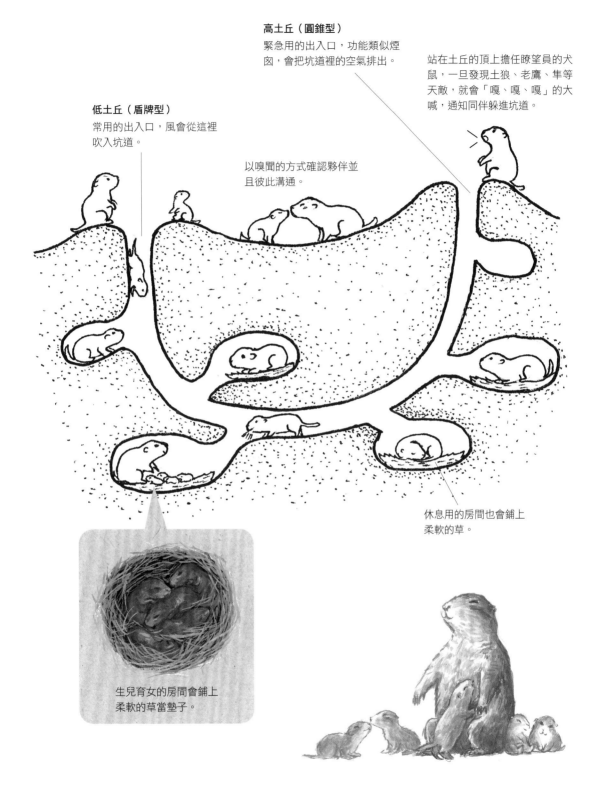

高土丘（圓錐型）
緊急用的出入口，功能類似煙
囪，會把坑道裡的空氣排出。

站在土丘的頂上擔任瞭望員的犬
鼠，一旦發現土狼、老鷹、隼等
天敵，就會「嘎、嘎、嘎」的大
喊，通知同伴躲進坑道。

低土丘（盾牌型）
常用的出入口，風會從這裡
吹入坑道。

以嗅聞的方式確認夥伴並
且彼此溝通。

休息用的房間也會鋪上
柔軟的草。

生兒育女的房間會鋪上
柔軟的草當墊子。

有一種鳥會利用草原犬鼠的優良通風坑道當成育雛巢穴。

利用草原犬鼠的舊坑道
來生活的貓頭鷹

大多數的貓頭鷹類會找樹洞（樹幹上的空洞）或
鷹鷲等大型鳥類以前蓋的舊巢來育雛，穴鵰卻會尋找草原犬鼠的舊坑洞，
稍微挖掘改造一下，就當成是自己的鳥巢來使用。

草原犬鼠就居住在穴鵰的附近，
草原犬鼠看到天敵時會大聲吠叫通知夥伴，
而穴鵰也順便得到了危險來襲的警報。

建築師的履歷

穴鵰

Athene cunicularia
鴟鴞科穴鵰屬
英文：Burrowing Owl
全長：約24cm
棲息地：分布於北美南部至
　　　　南美洲一帶

生活在草原的一種小型貓頭鷹類。
和其他種類的貓頭鷹相比，穴鵰的
雙腿較長，適合在地面上行動，善
於奔跑，也會低空飛行捕食昆蟲和
小動物。雖然名叫穴鵰，但很少自
己挖掘窩巢。

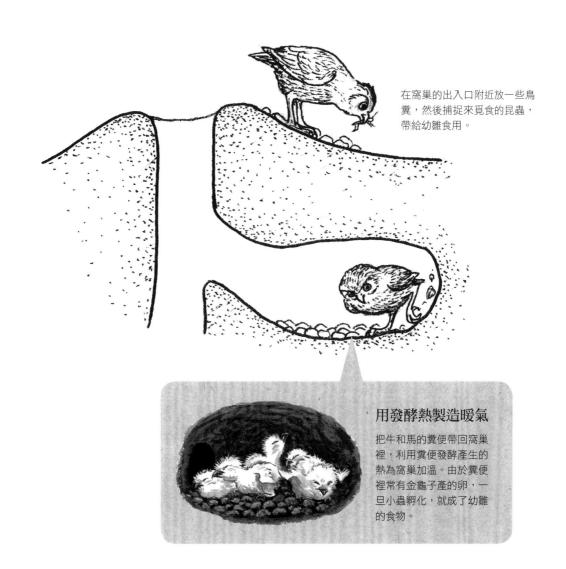

在窩巢的出入口附近放一些鳥糞，然後捕捉來覓食的昆蟲，帶給幼雛食用。

用發酵熱製造暖氣

把牛和馬的糞便帶回窩巢裡，利用糞便發酵產生的熱為窩巢加溫。由於糞便裡常有金龜子產的卵，一旦小蟲孵化，就成了幼雛的食物。

小鳥到了離巢的時候，母鳥就不再餵養牠們，
肚子餓的小鳥只好跑出窩巢去找母鳥。

也有群體挖掘坑洞當做窩巢的鳥。

在崖邊建造的集合住宅

灰沙燕懂得在河邊的土崖上挖出巢穴來養育幼鳥。
由於很多灰沙燕會集中在一處崖邊挖洞養育幼雛，
看起來就像鳥類的公寓大樓。

舊巢穴很容易崩塌，而且容易產生寄生蟲，因此無法使用。
加上人類在河邊進行開發、建造堤防，使得能做巢的環境愈來愈少。

建築師的履歷

灰沙燕

Riparia riparia
燕科沙燕屬
英文：Sand Martin
全長：約12cm
棲息地：遍布全世界

在海岸或河川旁的土崖上挖出巢穴，大家都住在一起，是燕子的一種。以日本來說，灰沙燕算是夏候鳥，會集體從北海道飛往本州，因此從春季到秋季都很容易發現。日文稱做小洞燕，就是因為牠們會挖洞做巢。會在空中捕食昆蟲。

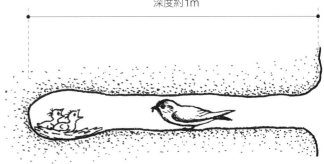

深度約1m

利用嘴喙挖土，然後用腳把土踢出洞外，建造出一個深度約1m的橫穴。最裡面比較寬敞，會鋪上枯草和羽毛來生蛋育雛。

擁有水邊寶石的美稱的翠鳥，
也會在岸邊挖掘橫穴來養育幼雛。

建築師的履歷

翠鳥

Alcedo atthis
翠鳥科翠鳥屬
英文：Common Kingfisher
全長：約17cm
棲息地：廣泛分布於日本、南太平洋群島、歐亞大陸以及非洲北部

背上全是鈷藍色羽毛的美麗鳥類，像翡翠一般，俗稱翠鳥。牠有著細長的嘴喙，會衝入水中捕食魚類和蝦類等甲殼類。牠會一邊發出像是「嘰──」的叫聲，一邊沿著水面低空直線飛翔。

燕子會建造各種各樣的窩巢。

在崖邊建造窩巢的燕子

住在北美洲的崖燕會在堅硬的岩壁上用泥土築巢，
做出一個個像壺一樣的鳥巢。
不是挖洞做出巢穴，而是用泥土把窩巢蓋在外面。

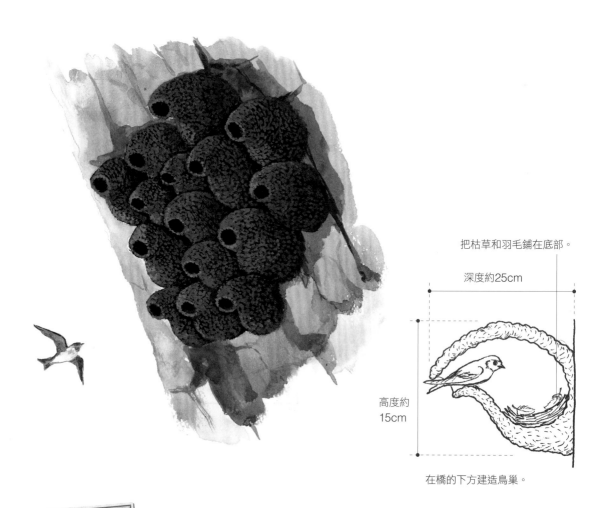

把枯草和羽毛鋪在底部。

深度約25cm

高度約
15cm

在橋的下方建造鳥巢。

建築師的履歷

崖燕

Petrochelidon pyrrhonota
燕科崖燕屬
英文：American Cliff Swallow
全長：約11cm
棲息地：分布於北美到墨西哥等地

一種小型燕子。夏天時遍布北美洲生養下一代，然後南下飛往北美南部與墨西哥過冬。由於會在斷崖等處建造鳥窩，所以稱為美洲崖燕。在日本，則因牠的身上有靛藍、橙褐色和白色羽毛，又稱為三色燕。牠會在空中捕食昆蟲。

灰沙燕會在水濱的土堤上
挖洞蓋巢（參80頁）。

建築師的履歷

金腰燕

Hirundo daurica
燕科燕屬
英文：Red-rumped Swallow
全長：約17cm
棲息地：廣泛分布於非洲中部、
　　　　　歐亞大陸、亞洲等地

金腰燕會在民家的前廊天花板建造鳥巢，這麼一來，
就省去了建造鳥巢上半部的勞累，做出橡實造型的巢。

建築師的履歷

家燕

Hirundo rustica
燕科燕屬
英文：Barn Swallow
全長：約18cm
棲息地：廣泛分布於世界各地

家燕會選擇在人類住家
的門口梁柱，建造碗形
的鳥巢。

燕子依種類不同，會根據各自的生活環境蓋出不同的鳥巢，
而且一眼就能辨識。

也會有使用泥土蓋出像碗一樣的窩巢。

做出碗形鳥巢的鳥

居住在澳洲的鵲鷚習慣在樹枝上建造鳥巢，並且在巢裡鋪上枯草。

鳥巢要造得夠結實，鳥蛋和雛鳥才不會掉出去。

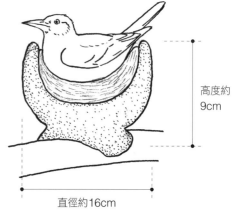

高度約
9cm

直徑約16cm

建築師的履歷

鵲鷚

Grallina cyanoleuca
王鶲科鵲鷚屬
英文：Magpie-lark
全長：約27cm
棲息地：分布於澳洲和新幾內亞
　　　　南部

澳洲常見羽毛黑白相間的中型鳥類。廣泛棲息在農地和城鎮中，用粗壯的腳在水濱來回走以尋找獵物，並且蒐集能夠建造鳥巢的泥土。牠會高高舉起雙翼，捍衛自己的領域。

窩巢的製作法

1. 把土塊放在樹枝上。

2. 坐在正中央,將泥土堆積在身體四周。

3. 重複這樣的過程,然後用胸部推擠泥土、整頓造型。

4. 裡面鋪上枯草就算完成。

人類使用旋盤來製造陶碗,鳥則是在窩裡轉圈圈,一層一層地疊上泥土,然後用嘴喙整形,做成碗的形狀。大多數的鳥是用枯草編織出碗形的鳥巢。

紅頭伯勞會用枯草在灌木叢中搭建出碗形的鳥巢。

建築師的履歷

紅頭伯勞

Lanius bucephalus
伯勞科伯勞屬
英文:Bull-headed Shrike
全長:約19cm
棲息地:分布於日本、亞洲東部、
　　　　　俄羅斯南部

還有一種鳥會蒐集泥土,建造出古代灶形的鳥巢。

爐灶般堅固的鳥巢

紅背灶鳥一如其名，會選擇在粗大的樹枝上建造一個半球形的窩巢。
以鳥巢來說算是非常堅固，而且無法窺見內部。

建築師的履歷

紅背灶鳥

Furnarius rufus
灶鳥科灶鳥屬
英文：Rufous Hornero
全長：約18cm
棲息地：分布於南美洲

在草原等開闊環境中生存的小型鳥。牠用長長的雙腳在地面來回走動，捕食昆蟲或小動物。建造的爐灶形鳥巢非常堅固，有時就直接蓋在牧場的圍欄木柱上。

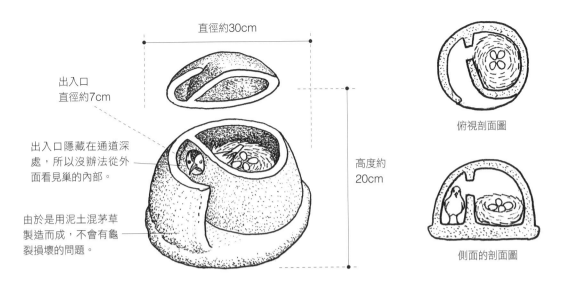

直徑約30cm

出入口
直徑約7cm

出入口隱藏在通道深
處，所以沒辦法從外
面看見巢的內部。

由於是用泥土混茅草
製造而成，不會有龜
裂損壞的問題。

高度約
20cm

俯視剖面圖

側面的剖面圖

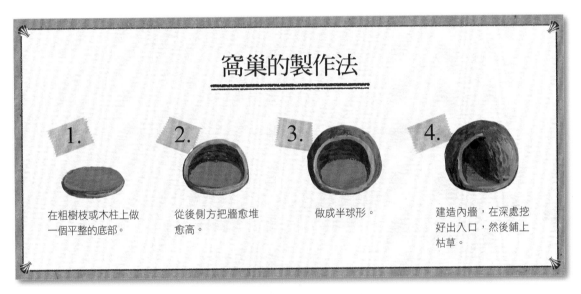

窩巢的製作法

1. 在粗樹枝或木柱上做一個平整的底部。

2. 從後側方把牆愈堆愈高。

3. 做成半球形。

4. 建造內牆，在深處挖好出入口，然後鋪上枯草。

**在南美洲流傳著一個傳說：「為了教導人類如何蓋房屋，
天神派了這種鳥來到世界，蓋房屋給我們看。」**

過去南美洲的人們常因傳染病所苦，而傳染病則仰賴刺蟎作為媒介，
這種昆蟲會鑽過民宅的牆壁裂縫，咬人的同時散播細菌。
最簡單的預防對策就是建造出牆壁不會龜裂的房屋。
而灶鳥則提供了建築的範例，讓人們了解到如何建造不會龜裂的家。
於是刺蟎無法繁殖，傳染病也就絕跡了。

為了避免敵人來襲，有一種鳥會固守窩巢。

固守巢中的鳥

這是一種犀鳥，會在樹洞裡產卵繁殖，

然後用自己的糞便混合泥土來築牆，從內側把出入口塞住。

因此從外面看，只會看到樹幹上有個小洞，僅能讓鳥喙伸入伸出。

當母鳥在裡頭孵蛋時，
公鳥一天要運送糧食多達70次。

建築師的履歷

大犀鳥

Buceros bicornis
犀鳥科犀鳥屬
英文：Great Hornbill
全長：約100cm
棲息地：分布於東南亞

犀鳥是一種大型鳥，擁有巨大而彎曲的鳥喙，而鳥喙上頭有戰盔般的凸起物，很容易辨識。牠棲息於森林中，屬雜食性，不過大多嗜吃果實。

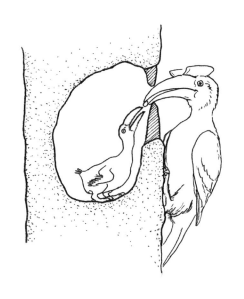

當雛鳥成長後，
公鳥送來的糧食就漸漸不夠吃，
這時母鳥會突破窩巢的洞口，
到外頭和公鳥一起捕食，回家餵養雛鳥。
母鳥離開後，雛鳥就會學母鳥的做法，
把出入口慢慢封起來。

雛鳥要想飛出去，
就得自己突破窩巢的洞口。

不把母鳥和雛鳥藏起來，而是把食物藏起來的鳥類。

啄木鳥的糧食儲藏庫

有一種啄木鳥叫橡實啄木鳥，
喜歡在樹幹、木製電線桿、木造建築物的牆上啄出許多洞，
然後把蒐集來的橡實塞進小洞裡貯存。
橡實啄木鳥算是群居動物，
所以鳥群會同心協力
大量地儲藏橡實。

有時栗鼠會跑來偷吃，
但是馬上就被趕走。

建築師的履歷

橡實啄木鳥

Melanerpes formicivorus
啄木鳥科紅頭啄木鳥屬
英文：Acorn Woodpecker
全長：約23cm
棲息地：分布於北美南部至
　　　　中美洲一帶

過著群體生活的一種中型啄木
鳥。牠會用銳利的尖嘴啄穿樹
幹，捕食躲藏在裡面的昆蟲。
幾乎所有的啄木鳥都有貯存橡
實的習慣，但由於本種鳥採群
體生活，貯存量非常多。

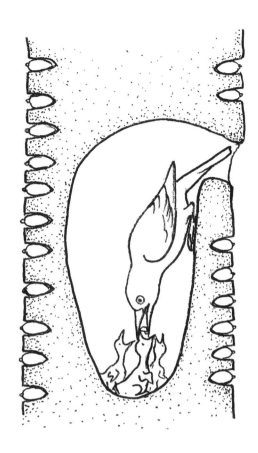

雖然雛鳥不能吃橡實，但親鳥可以先吃橡實，消化後反芻餵給雛鳥吃。因為橡實就貯存在不遠處，隨時可以吃到橡實然後餵養雛鳥。

在日本，大斑啄木鳥、赤腹山雀、松鴉等
都有把橡實貯存在樹皮縫隙中的習性，
主要是為了儲備過冬用的食物，由此可見鳥類頗有智慧。

大斑啄木鳥　　　　　　赤腹山雀　　　　　　松鴉

也有使用食物包裹而成的窩巢。

用食物包裹而成的窩巢

有一種捲葉象鼻蟲會把卵產在捲好的樹葉裡面，
捲好的葉子稱做「搖籃」，小蟲卵孵化成幼蟲後就住在「搖籃」裡。
四周都是牠的食物，而牠吃那些葉子成長，最後羽化成蟲，
就把「搖籃」咬破，來到外面的世界。

「搖籃」是由雌蟲做的。

建築師的履歷

捲葉象鼻蟲

Apoderus jekelii
象鼻蟲科象鼻蟲族
全長：8～9.5mm
棲息地：分布於日本北海道到九州

在丘陵、山區的闊葉林裡常見的一種象鼻蟲。雌蟲在栗子樹、枹櫟樹、榛樹等植物葉子上產卵，然後捲起葉子做成「搖籃」。有些象鼻蟲全身都是黑色的，沒有其他顏色。

雌蟲　　　雄蟲

窩巢的製作法

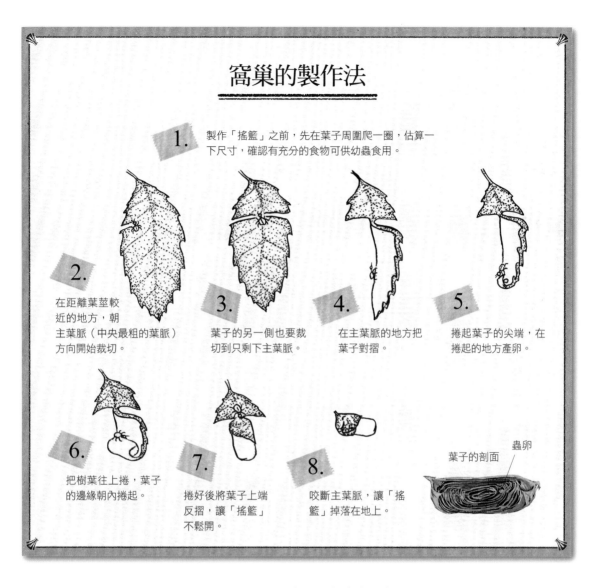

1. 製作「搖籃」之前，先在葉子周圍爬一圈，估算一下尺寸，確認有充分的食物可供幼蟲食用。

2. 在距離葉莖較近的地方，朝主葉脈（中央最粗的葉脈）方向開始裁切。

3. 葉子的另一側也要裁切到只剩下主葉脈。

4. 在主葉脈的地方把葉子對摺。

5. 捲起葉子的尖端，在捲起的地方產卵。

6. 把樹葉往上捲，葉子的邊緣朝內捲起。

7. 捲好後將葉子上端反摺，讓「搖籃」不鬆開。

8. 咬斷主葉脈，讓「搖籃」掉落在地上。

葉子的剖面　　蟲卵

還有一種象鼻蟲不會讓搖籃落地，一直掛在葉子上。

建築師的履歷

野茉莉鶴頸捲葉象鼻蟲

Cycnotrachelus roelofsi
象鼻蟲科象鼻蟲族
全長：6～9.5mm
棲息地：分布於日本北海道到九州

喜歡用野茉莉的葉子來製作「搖籃」。

野茉莉鶴頸捲葉象鼻蟲

不只是捲葉子，有些昆蟲還會把葉子與葉子結合起來，變成窩巢。

把葉子貼成球形的窩巢

黃猄蟻會利用幼蟲吐絲的行為，
把好幾片樹葉黏貼在一起，
做成一個窩巢。
在相鄰的幾棵樹上，
會出現很多這樣的葉子窩巢。

最初只有一個窩巢，
住著一隻蟻后，在裡面產卵。
之後卵孵化成工蟻，
這些工蟻又會出去蓋更多的窩巢。

幼蟲

啣著幼蟲的蟻后

建築師的履歷

黃猄蟻

Oecophylla smaragdina
蟻科黃猄蟻屬
英文：Weaver Ant
全長：約2cm（蟻后）
棲息地：分布於亞洲、非洲、
　　　　澳洲等地

全身都是淺褐色且腳很長
的一種螞蟻。會利用幼蟲
吐出的絲，把幾片葉子黏
起來做蟻窩。在日本的西
南諸島有一種黑棘蟻，牠
們會使用和黃猄蟻同樣的
方法來建造窩巢。

雄蟻　　工蟻

蟻后

窩巢的製作法

運用幼蟲吐出的細絲把一片片葉子黏起來。先黏合大片的葉子（A～D），再把比較小的葉子（E～G）貼上去，窩巢就完成了。

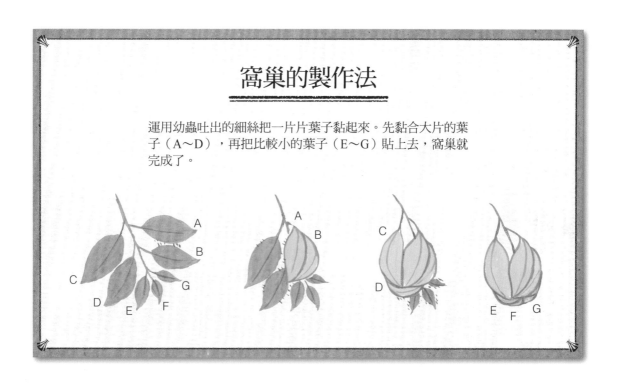

有專門拉住葉子的工蟻，
也有讓幼蟲吐絲黏合樹葉的工蟻。

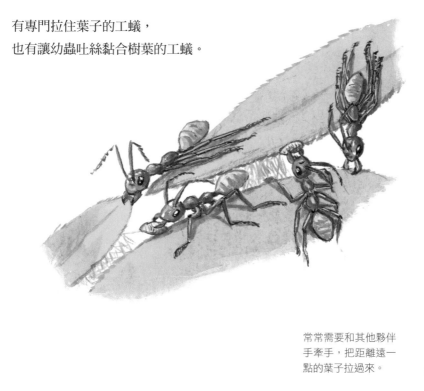

常常需要和其他夥伴
手牽手，把距離遠一
點的葉子拉過來。

還有在地下巢穴裡栽培菇類的螞蟻。

用葉子栽培菇類的地下巢穴

切葉蟻會把樹葉切成小片，搬回到巢穴裡。

這些搬進窩裡的葉子並不是拿來吃的，而是切成更小（1～2公釐）的顆粒，

混合成漿糊狀，用來栽培真菌（菇類）。

建築師的履歷

切葉蟻

Attini sp.

家蟻亞科切葉蟻屬

英文：Leaf-cutter Ants

全長：依品種和階級而定

　　　　（工蟻、兵蟻、蟻后）

棲息地：分布於中南美洲

活用植物葉子的養分、在地下巢穴裡栽培真菌（菇類）的一種螞蟻，已知在中南美洲就有230種。至於栽培真菌的方法，有些蟻種會使用枯葉，有些蟻種則使用活的綠葉，依種類而有不同。

工蟻　　　兵蟻　　　蟻后

在地下巢穴裡，有很多名為菌園的坑洞，當成栽培菇類的田地。
為了串起這些田地，必須挖掘四處縱橫的坑道，
還要挖出非常大的垃圾場，專門棄置蟻窩的垃圾。
有些種類的切葉蟻族群龐大，一個巢穴中有數百隻一同生存。
有些切葉蟻搬運樹葉，有些負責照顧真菌，有些負責抵禦敵人，
有些負責處理垃圾，會依照階級（大小）來區分各種不同的工作。

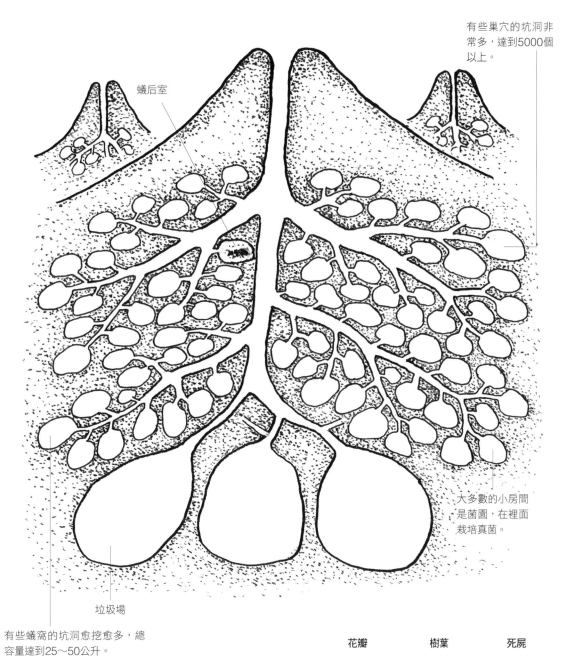

有些巢穴的坑洞非常多，達到5000個以上。

蟻后室

大多數的小房間是菌園，在裡面栽培真菌。

垃圾場

有些蟻窩的坑洞愈挖愈多，總容量達到25～50公升。

花瓣　樹葉　死屍

除了搬運葉子，還會找來花瓣。
至於死掉的夥伴，則被搬出蟻窩。

葉子的切割法

切葉蟻使用單邊的大顎當做刀片來切割葉子。
牠用前腳按住樹葉，另一側的大顎則作為觸覺器官，調節力道，切開樹葉。

對小螞蟻來說，搬運巨大的樹葉是沉重的工作。
所以牠們一面切割樹葉，一面上下震動腹部，
通知夥伴前來搬運。

就像開瓶器一樣，一邊的
大顎當支點，另一邊的大
顎進行切割。

由大型螞蟻搬運樹葉，有時樹葉上還站著小螞蟻。
在運送樹葉的途中，欠缺防備的螞蟻會被寄生性的蚤蠅攻擊，
為了不讓蚤蠅把產下的卵附著在螞蟻的身上，
站在葉子上的小螞蟻就肩負起保護的責任。
當然，小螞蟻也有工作，牠們會清潔樹葉的表面。

切下來的葉子被咬得碎碎的，和液態的螞蟻糞放在一起攪拌，
就可以黏結在一起，製作出一個直徑約10～20cm的球形菌園。
菌園的構造看起來就像海綿一樣。

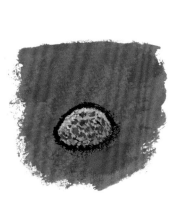

菌園被利用殆盡後就變成廢棄物，成為垃圾。
大多數的螞蟻都會在地下挖掘垃圾場，
但有些種類的螞蟻會把垃圾丟到巢穴外，
最後堆成一座巨大的垃圾山。

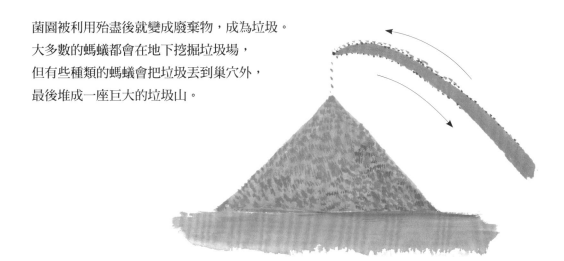

數百隻螞蟻負責清除垃圾的工作，大家排隊帶出垃圾，
整齊到令人驚訝。

也有在地面上蓋起高塔的小小生物。

小小昆蟲蓋起巨大高塔

一隻僅僅幾公釐長的白蟻，
卻能建蓋出數公尺高的巨塔，
足以媲美我們人類建造
數百公尺高的摩天大樓。

巨大高塔般的結構物，是白蟻所建造的蟻塚。
和蛀食木材的白蟻算是親戚的野生白蟻，
所建造的白蟻巨塔有時高達10公尺，
在地球上是僅次於珊瑚礁的最大型生物建築物。
雖然蟻塚看起來很大，實際上牠們生活的窩巢是在地底下。

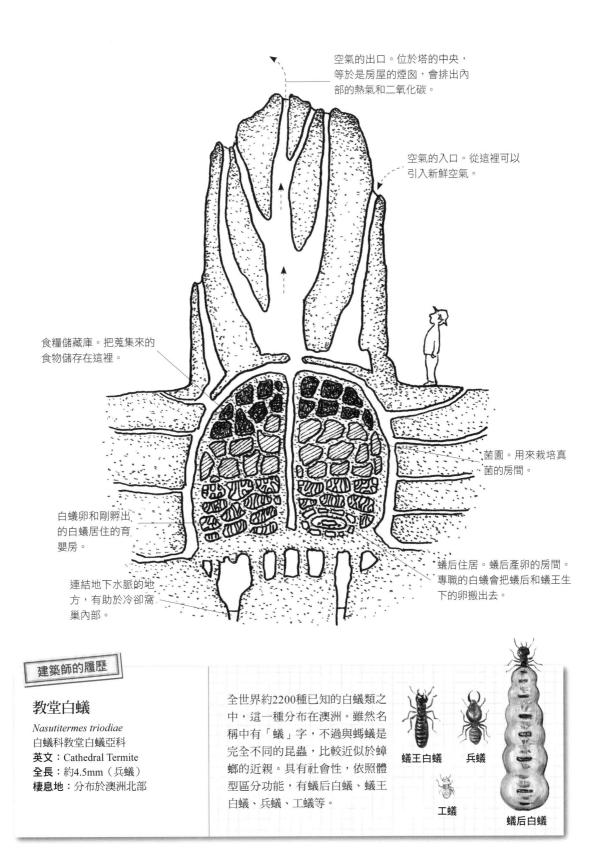

空氣的出口。位於塔的中央，等於是房屋的煙囪，會排出內部的熱氣和二氧化碳。

空氣的入口。從這裡可以引入新鮮空氣。

食糧儲藏庫。把蒐集來的食物儲存在這裡。

菌園。用來栽培真菌的房間。

白蟻卵和剛孵出的白蟻居住的育嬰房。

連結地下水脈的地方，有助於冷卻窩巢內部。

蟻后住居。蟻后產卵的房間。專職的白蟻會把蟻后和蟻王生下的卵搬出去。

建築師的履歷

教堂白蟻

Nasutitermes triodiae
白蟻科教堂白蟻亞科
英文：Cathedral Termite
全長：約4.5mm（兵蟻）
棲息地：分布於澳洲北部

全世界約2200種已知的白蟻類之中，這一種分布在澳洲。雖然名稱中有「蟻」字，不過與螞蟻是完全不同的昆蟲，比較近似於蟑螂的近親。具有社會性，依照體型區分功能，有蟻后白蟻、蟻王白蟻、兵蟻、工蟻等。

蟻王白蟻　　兵蟻

工蟻

蟻后白蟻

也有些白蟻巨塔看起來像墓碑。

矗立著巨大墓碑的墓地？

這類蟻塚看起來活像是一塊一塊巨大墓碑。

磁性白蟻的地面建築像是石板的模樣，

排列方式十分有趣，每一塊的兩個平面分別朝向東西方，

外觀看起來就像一座座巨型墓碑叢林，是非常奇特的景觀。

為什麼牠們蓋的蟻塚這麼整齊呢？

建築師的履歷

磁性白蟻

Amitermes meridionalis
白蟻科塚白蟻亞科
英文：Magnetic Termite
全長：約1.5cm
棲息地：分布於澳洲北部

生長在澳洲、會建造蟻塚的一種白蟻。蟻塚的外觀呈扁平狀，而且平面對準東西方。此外，由於蟻塚的軸線就像羅盤一樣對準南北方，所以俗稱「磁性白蟻」。

兵蟻

蟻王白蟻

蟻后白蟻

工蟻

102

平板的兩面朝向東西方，在氣溫降低的清晨與傍晚用最大面積對著太陽，藉此可以溫暖窩巢內部。如果天氣太熱，白蟻會摧毀一部分的蟻塚，使日照面積變少，避免過熱。

白蟻的蟻塚還有許多種不同的樣式。

全世界各種各樣的白蟻塚

已知全球的白蟻種類約有2200種，
不同種的白蟻會蓋出不同模樣的蟻塚。

長頸瓶狀蟻塚
（喀麥隆的可魯普國家公園）

黑色白蟻的蟻塚
（澳洲）

高砂蟻的蟻塚
（沖繩）

巴西的熱帶草原上有一種蟻塚，
在特定時期的夜間會發出燐燐的綠光。
使得夜間的大草原景色看起來格外神祕。
但這並不是白蟻在發光，
而是一種發光米撟蟲的幼蟲在發光，
光線可以吸引白蟻靠近，然後幼蟲就趁機捕食。

以白蟻為食的動物們

白蟻是營養價值很高的珍貴蛋白質來源,所以很多動物都愛吃白蟻。
想要吃到白蟻,就得具備能夠破壞蟻塚的強大爪子,
還有效率好到能夠迅速黏起許多白蟻的長舌頭。

犰狳

大食蟻獸

破壞蟻塚、吃白蟻的黑
猩猩。

土豚

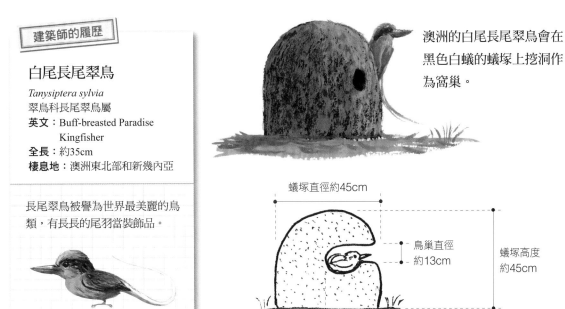

建築師的履歷

白尾長尾翠鳥

Tanysiptera sylvia
翠鳥科長尾翠鳥屬
英文:Buff-breasted Paradise
　　　Kingfisher
全長:約35cm
棲息地:澳洲東北部和新幾內亞

長尾翠鳥被譽為世界最美麗的鳥
類,有長長的尾羽當裝飾品。

澳洲的白尾長尾翠鳥會在
黑色白蟻的蟻塚上挖洞作
為窩巢。

蟻塚直徑約45cm

鳥巢直徑
約13cm

蟻塚高度
約45cm

鳥巢深度約25cm

有一種運用花蜜製成、甘甜美味的窩巢。

用花蜜建造的窩巢

蜜蜂會到處採花蜜，釀成蜂蜜，然後又吃下蜂蜜，
在體內轉成蜂蠟，從肚子裡的蠟腺分泌出蠟片，
蜜蜂就用蠟片作為材料，建造起六角型房間的蜂窩。

建築師的履歷

歐洲蜜蜂

Apis mellifera
蜜蜂科蜜蜂屬
英文：Europian Honey Bee
全長：約1.3cm（工蜂）
棲息地：分布於歐洲、非洲、
　　　　西亞一帶

日本以外地區廣泛分布的一種蜜蜂，會蒐集花蜜，用唾液混入酵素，然後轉化為蜂蜜，成為蜜蜂的食物。蜜蜂過著團體生活，通常一隻女王蜂和數萬隻工蜂一起生活。在日本則由養蜂人家引進，生產蜂蜜。

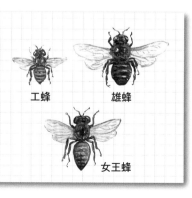

工蜂　　雄蜂

女王蜂

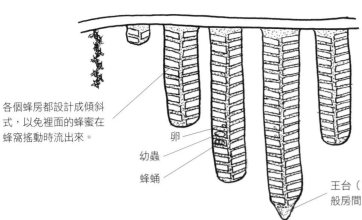

各個蜂房都設計成傾斜式，以免裡面的蜂蜜在蜂窩搖動時流出來。

卵
幼蟲
蜂蛹

由於蜜蜂具備感知正確方向與位置的感覺毛，所以能做出標準的六角形巢室。

王台（下一任女王蜂的培育室）比一般房間大一點，而且裝滿了蜂王乳。

窩巢的製作法

在蜜蜂體內生成的蜜蠟會從腹部的蠟腺分泌出來，這些蠟片就是蓋蜂窩的主要材料。

1. 蜜蜂帶著分泌出來的蠟片集中在樹枝下。

2. 選定建造蜂窩的位置後，用腳取下蠟片，嘴巴嚼過後黏牢，成為蜂房的天花板。

3. 慢慢延長房間的牆壁，形成六角形的蜂房。做好的巢室牆壁厚度為0.07～0.09mm。

4. 從中央往左右下方繼續擴大蜂房。

六角形的祕密

蜂窩（honey comb）的六角形造型被稱為「蜂巢結構」，大量運用在人造衛星、飛機機體、新幹線地板等各種物體和交通工具。六角形互相結合，就沒有浪費空間的問題，用最少材料得到最大空間，而且結構非常牢靠，能夠吸收噪音和衝擊，甚至可以隔熱或保溫。

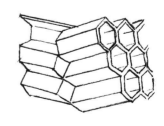

用植物纖維做材料蓋出來的蜂窩。

宛如用和紙建造的蜂窩

有一種長腳蜂會蒐集樹枝和樹葉表面的皮和毛等纖維質，
在口中用唾液混合後吐出，漸漸硬化。
這種材質類似日本的和紙，能夠蓋出又輕又堅固的蜂窩。

據說，中國就是看到長腳蜂建造蜂窩的過程才
發明了紙張。如果透光觀察長腳蜂的蜂窩，真
的會看到材料中有許多細長的纖維。

建築師的履歷

黑背長腳蜂

Polistes jokahamae
胡蜂科長腳蜂屬
全長：約2cm
棲息地：分布於日本本州以南

市區常見的一種長腳蜂，在長
腳蜂類之中算大型，身上有黑
底黃條紋。經常在民宅的屋簷
下築巢，然後獵殺其他昆蟲，
做成肉團帶回蜂巢餵養幼蟲。

在柄的部位塗上天敵（螞蟻）
討厭的物質。

蜂房數目最多可達
300～400個。

窩巢的建作法

最初剛開始建築蜂窩，是由一隻女王蜂獨自動手。

1. 確定位置，開始建造「巢柄」和第一間育嬰房（養幼蟲的房間）。

2. 為了阻擋螞蟻來襲、避免大雨沖刷，把巢室的開口蓋成向下。

3. 女王蜂生下的工蜂成長後就會幫忙建造，蜂窩也就愈來愈大。

因為蜂窩的蜂房暴露在外，使得蜂窩變得容易擴建，卻也容易遭到風吹雨打。
大雨過後，工蜂會把進水的蜂房裡面清乾淨，將水排出蜂窩。

雖然同樣是長腳蜂，但是品種不同，蓋的蜂窩也不同。

建築師的履歷

小長腳蜂
Polistes snelleni
胡蜂科木長腳蜂屬
全長：11～17mm
棲息地：分布於日本北海道、
　　　　　九州

建築師的履歷

細腰長腳蜂
Parapolybia varia
胡蜂科細長腳蜂屬
全長：11～16mm
棲息地：分布於日本本州、
　　　　　四國、九州

雖然材質不同，但有些蜂窩就像高樓大廈。

具備外牆的高樓大廈

和長腳蜂（參108頁）的外露巢室蜂窩不同，
胡蜂的蜂窩會蓋上一層「外牆」。
有了這層外牆，就能對抗風雨和寒冷，不讓天敵入侵內部。

胡蜂會用唾液混合樹上咬下來的纖維，然後重新整形，用於製造蜂窩。因為用了許多不同種類的樹木來建造，外牆看起來非常漂亮，像是畫上波浪的紋路。

建築師的履歷

日本黃蜂

Vespa simillima
胡蜂科胡蜂屬
英文：Japanese Yellow Hornet
全長：約2.5cm
棲息地：分布於日本、朝鮮半島、
　　　　　　庫頁島、東西伯利亞

棲息於日本的胡蜂類當中最小型的品種。生活在本州以南的亞種叫做「黃色胡蜂」，通常住在村鎮裡，會在屋簷下或路樹上蓋蜂窩。胡蜂是蜜蜂的天敵，經常會去襲擊蜜蜂的蜂窩。

階層狀的蜂窩內部，就像高樓大廈

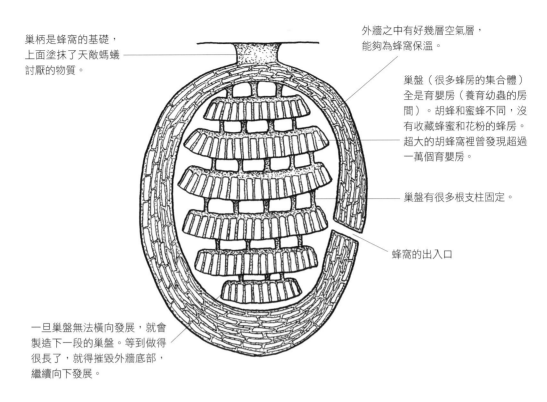

巢柄是蜂窩的基礎，
上面塗抹了天敵螞蟻
討厭的物質。

外牆之中有好幾層空氣層，
能夠為蜂窩保溫。

巢盤（很多蜂房的集合體）
全是育嬰房（養育幼蟲的房
間）。胡蜂和蜜蜂不同，沒
有收藏蜂蜜和花粉的蜂房。
超大的胡蜂窩裡曾發現超過
一萬個育嬰房。

巢盤有很多根支柱固定。

蜂窩的出入口

一旦巢盤無法橫向發展，就會
製造下一段的巢盤。等到做得
很長了，就得摧毀外牆底部，
繼續向下發展。

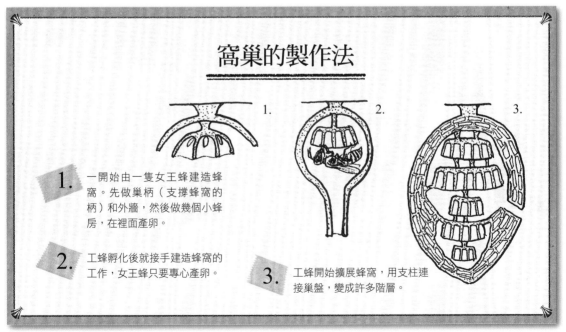

窩巢的製作法

1. 一開始由一隻女王蜂建造蜂
窩。先做巢柄（支撐蜂窩的
柄）和外牆，然後做幾個小蜂
房，在裡面產卵。

2. 工蜂孵化後就接手建造蜂窩的
工作，女王蜂只要專心產卵。

3. 工蜂開始擴展蜂窩，用支柱連
接巢盤，變成許多階層。

自己的身體就會產生建造窩巢的材料。

獵人埋伏突襲獵物的袋狀巢穴

很多蜘蛛會從尾部的「絲囊」噴出絲線來建造蜘蛛網，
用來捕捉昆蟲。全世界的蜘蛛種類約4萬種，
但真正會造蜘蛛網的只是其中半數，另外半數則不造蜘蛛網，
而是四處移動、尋找獵物的徘徊性蜘蛛。

地蜘蛛的窩巢並不是常見的蜘蛛網，而是被建造成細長的袋狀，
上端附著在地面上的樹木、草叢或木牆、石牆的根部，
下端則深入土中，讓蜘蛛居住。

建築師的履歷

地蜘蛛

Atypus karschi
地蜘蛛科地蜘蛛屬
英文：Mygalomorph Spider
全長：1～2cm
棲息地：分布於中國、台灣、日本

織造袋狀窩巢、躲在地下等
待獵物接近的蜘蛛。前顎又
大又發達，當獵物不經意地
爬過袋子時，牠會立刻戳破
窩巢、咬住獵物，然後拖到
地底下吃掉。

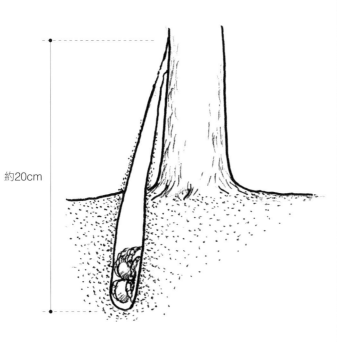

約20cm

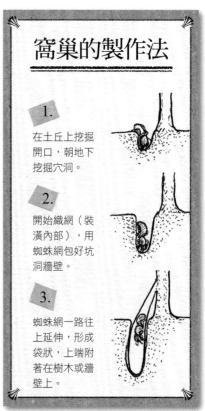

窩巢的製作法

1.
在土丘上挖掘開口，朝地下挖掘穴洞。

2.
開始織網（裝潢內部），用蜘蛛網包好坑洞牆壁。

3.
蜘蛛網一路往上延伸，形成袋狀，上端附著在樹木或牆壁上。

地蜘蛛的狩獵行動

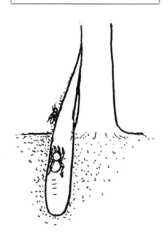

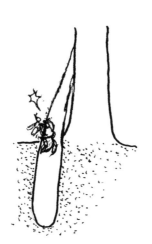

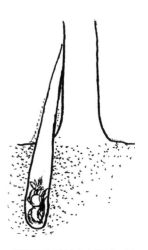

當獵物碰到地上的窩巢時，碰觸時的震動會立即傳到地下，提醒蜘蛛。

蜘蛛爬到地上，用利牙越過蜘蛛絲，咬住獵物。

把獵物拖進巢穴中吃掉，被戳破的窩巢則重新用蜘蛛絲修復。

很多蜘蛛都會將消化液注入捕捉到的獵物體內，把獵物溶解、吸取汁液。
這種用餐方式稱為「體外消化」。

也有些窩巢的出入口設有蓋子。

出入口上有蓋子的窩巢

蠼螋科中的一種蜘蛛會在地下挖坑，然後用蜘蛛絲黏在內壁加強堅固性，
坑洞的出入口會用蜘蛛絲混合泥土來製造蓋子。
蓋子的一角會用蜘蛛絲與坑洞口連結在一起，
就好像絞鏈一樣可以開閉。

建築師的履歷

暗門蜘蛛

Latouchia typica
蠼螋科蠼螋屬
英文：Trap Door Spider
全長：0.9～1.5cm
棲息地：分布於中國和日本

挖好洞穴後會造一個蓋子蓋住的一種蜘蛛，獵物通過時，牠會立刻竄出捕捉獵物。這種窩巢大都建造在路緣或石牆旁邊，蜘蛛死去後，有些菌類會吸收蜘蛛的營養，長出菇類，於是就能發現原來那裡有蜘蛛的巢穴。

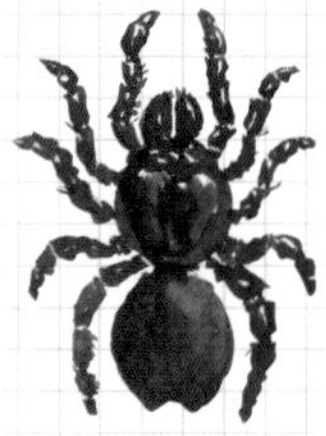

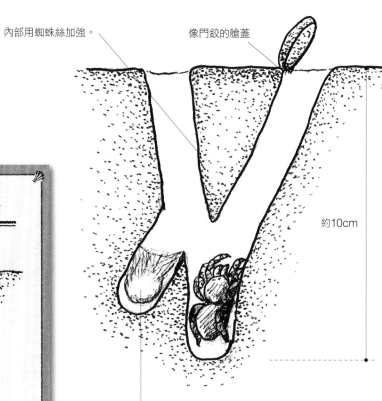

內部用蜘蛛絲加強。

像門鉸的艙蓋

約10cm

卵囊（用蜘蛛絲包起許多顆蜘蛛蛋），
安置在巢穴的深處。

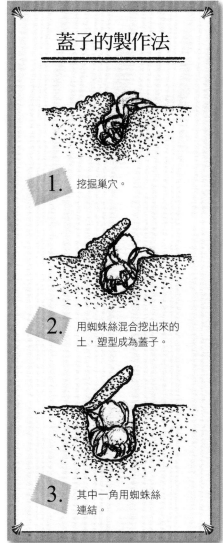

蓋子的製作法

1. 挖掘巢穴。

2. 用蜘蛛絲混合挖出來的土，塑型成為蓋子。

3. 其中一角用蜘蛛絲連結。

這種暗門蜘蛛會躲在巢穴中等待獵物。
獵物接近時，就會突然衝出暗門，
把獵物拖回坑洞裡吃掉。

還有蜘蛛會在水裡做窩巢。

水中的蜘蛛窩巢

水蜘蛛是世界上唯一在水中建造窩巢且生活在水裡的蜘蛛。

在水裡製造一個圓圓的大氣泡當房間，
一抓到獵物就在房間吃掉，也會在裡面下蛋繁殖。

建築師的履歷

水蜘蛛

Argyroneta aquatica
水蜘蛛科水蜘蛛屬
英文：Water Spider
全長：0.8～1.5cm
棲息地：歐洲到日本都有分布

世界上唯一一種在水裡生活的蜘蛛。牠會巧妙地利用絲線，在水中形成氣泡當做窩巢。牠在這個氣泡窩巢裡捕食獵物，也在這裡產卵繁衍。為了便於攜帶空氣，第3～4腳上長著細密的長毛。

窩巢的製作法

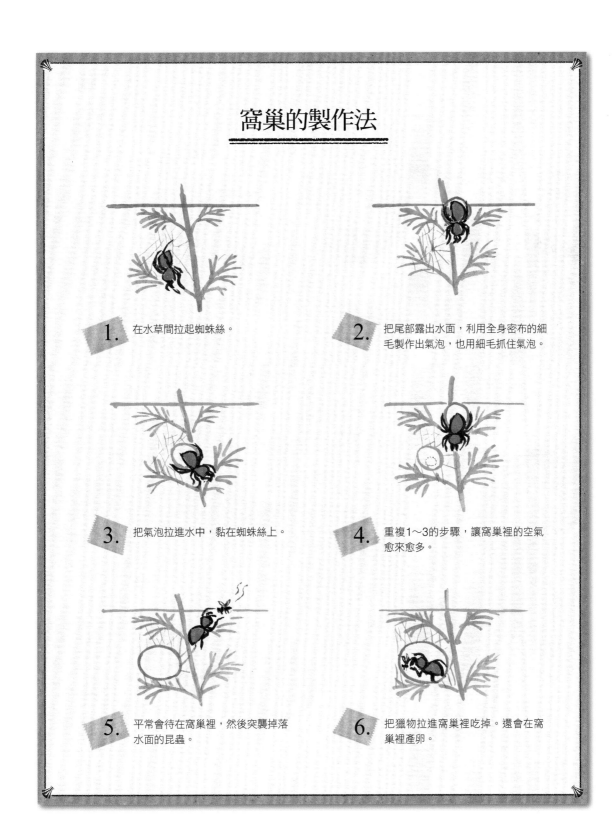

1. 在水草間拉起蜘蛛絲。

2. 把尾部露出水面，利用全身密布的細毛製作出氣泡，也用細毛抓住氣泡。

3. 把氣泡拉進水中，黏在蜘蛛絲上。

4. 重複1～3的步驟，讓窩巢裡的空氣愈來愈多。

5. 平常會待在窩巢裡，然後突襲掉落水面的昆蟲。

6. 把獵物拉進窩巢裡吃掉。還會在窩巢裡產卵。

有種蜘蛛會拉起蜘蛛絲，
讓昆蟲撞上摔落後就捕食。

將獵物一網打盡的蜘蛛網

皿蛛會在樹枝間建造一個吊床模樣或半球形、碟子形狀的網子，
然後在上面結一些蜘蛛網，接著就到下面等待，
看看有什麼獵物會撞上蜘蛛網而掉下來。

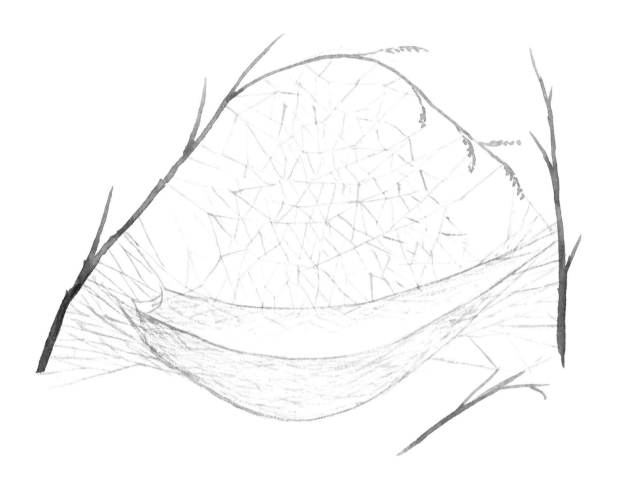

建築師的履歷

褐色蓋皿蛛

Neriene fusca
皿蛛科蓋蛛屬
全長：3.5～5.5mm
棲息地：從日本北海道至九州
　　　　　都有分布

棲息在山區的一種蜘蛛。在
早春就開始織好吊床形狀的
網子，然後捕食那些撞上蜘
蛛網而掉下來的昆蟲。

褐色蓋皿蛛的獵食方法

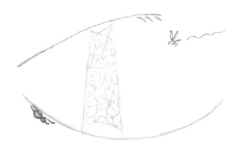

在下方織好吊床，等待獵物上門。

飛過來的昆蟲一頭撞上蜘蛛網，便掉到吊床上。

蜘蛛從下方穿過網子抓住獵物，然後吃掉。

建築師的履歷

黃斑原皿蛛

Turinyphia yunohamensis
皿蛛科斑皿蛛屬
全長：3～6mm
棲息地：分布於中國、韓國
　　　　　和日本

底下像是倒翻過來的淺碟子。

建築師的履歷

長腳皿蛛

Neriene longipedella
皿蛛科白紋蓋皿蛛屬
全長：4.5～7mm
棲息地：分布於中國、韓國
　　　　　和日本

更深的半球形。

靠著帶有黏性的蜘蛛絲來捕捉獵物的蜘蛛窩巢。

以具黏性的蜘蛛絲
織出捕捉獵物的圓形網

在住家的梁柱上、公園裡及野外等處，我們對這樣的蜘蛛網非常熟悉。
蜘蛛網的型態會因種類而不同，甚至是同種也會有些微差異。

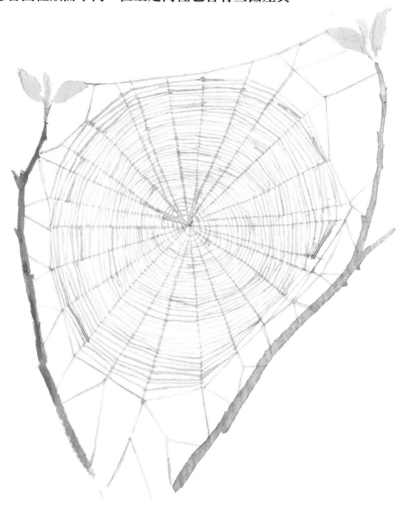

建築師的履歷

鞭扇蛛

Plebs astridae
金蛛科蜘蛛屬
全長：約4.5～10mm
棲息地：分布於中國、韓國、
　　　　　台灣、日本等地

早春時期出現的一種鞭扇蛛。
在野生樹林生活時，會在樹枝
間織出圓形網子，然後坐鎮在
網子中央。腹部前方有突出的
角是牠的特徵。要生產時，牠
會把卵用蜘蛛絲纏好，然後把
卵囊放置在葉子上。

窩巢的製作法

1. 從尾部吐出絲線，等待風吹來。

2. 被風吹到另一根樹枝上，就可以在兩根樹枝間來回吐絲，讓這根「橋線」愈來愈堅固。

3. 在橋線中央拉出一根下垂的蜘蛛絲。

4. 下垂到另一根樹枝後再返回吐絲，形成「豎線」。

5. 在外側加上「外框絲」，連結到「豎線」上。

6. 不斷增加「外框絲」和「豎線」的連結絲。

7. 從沒有黏性的中央「站立絲」開始，在外面吐出螺旋狀的蜘蛛絲。

8. 從外到內鋪滿具黏性的「橫絲」，最後去除中央的「站立絲」，就完成蜘蛛網了（大約需要1小時）。

製造不同卵囊的各種蜘蛛

建築師的履歷

日本紅螯蛛
Cheiracanthium japonicum
管巢蛛科紅螯蛛屬
全長：9～15mm
棲息地：中國、韓國、日本

把樹葉摺疊成三角形，在裡面產卵。

建築師的履歷

鳥糞蛛
Cyrtarachne bufo
金蛛科鳥糞蛛屬
全長：1.5～10mm
棲息地：中國、韓國、日本

做一個袋子當卵囊，並且垂掛在葉子下。

蜘蛛絲纖細又強韌，有些生物拿來當做築巢材料。

借用蜘蛛絲蓋成的窩巢

銀喉長尾山雀會利用蜘蛛絲或蛾蛹的絲來包裹苔蘚，
然後製作出球形的鳥巢。
巢的裡面放置了上百根撿來的鳥羽毛，
讓鳥蛋或雛鳥能夠保持溫暖。

建築師的履歷

銀喉長尾山雀

Aegithalos caudatus
長尾山雀科長尾山雀屬
英文：Long-tailed Tit
全長：約14cm
棲息地：歐洲到日本都有分布

體重不到10g的小鳥。雖然身體
比較小，尾羽卻很長是牠的特
色，所以名稱中有「長尾」。
由於長尾會掛在樹枝下面，很
容易就能發現。除了獵食林間
的昆蟲，也喜歡舔食樹汁。

122

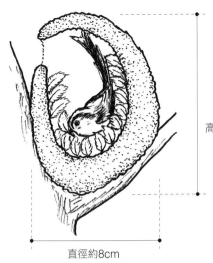

銀喉長尾山雀在仍舊很寒冷的早春時期就開始育雛，所以會蒐集大量的羽毛墊在窩裡來保溫，有些鳥巢甚至堆積了超過1000支羽毛。

高度約10cm

直徑約8cm

銀喉長尾山雀的巢通常位於樹椏，不容易被天敵發現。

窩巢的製作法

1. 決定蓋鳥巢的地方後，就採集一些苔蘚，在預定位置踩平。

2. 將蜘蛛絲內外交叉，然後在四周慢慢堆高苔蘚。

3. 不斷往上堆積，做成壺的造型。

4. 製作屋頂，出入口做成橫向，內部用羽毛做墊子。

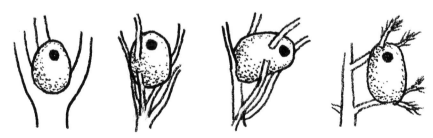

大樹上、樹椏間、樹枝上、樹叢裡，蓋巢的地點有各種選擇。

同樣是使用苔蘚當材料，卻是吊掛在樹枝下的窩巢。

用蜘蛛絲和苔蘚，
做出不一樣的鳥巢

高度約
16cm

直徑約6cm

叢山雀的鳥巢材料和製作
方法與銀喉長尾山雀（參
122頁）相同，但鳥巢是
吊掛在樹枝下方。

建築師的履歷

叢山雀

Psaltriparus minimus
長尾山雀科叢山雀屬
英文：American Bushtit
全長：約11cm
棲息地：分布於北美洲

棲息在山林地帶的小鳥，
偶爾出現在庭院或是公園
裡。體重只有5g，是很小
的動物。會群體行動，捕
食昆蟲和蜘蛛。

灰藍蚋鶯把鳥巢
蓋在樹枝上面。

建築師的履歷

灰藍蚋鶯

Polioptila caerulea
蚋鶯科灰藍蚋鶯屬
英文：Blue-gray Gnatcatcher
全長：約12cm
棲息地：分布於北美、墨西哥、
　　　　古巴等地

直徑約7cm

高度約
3cm

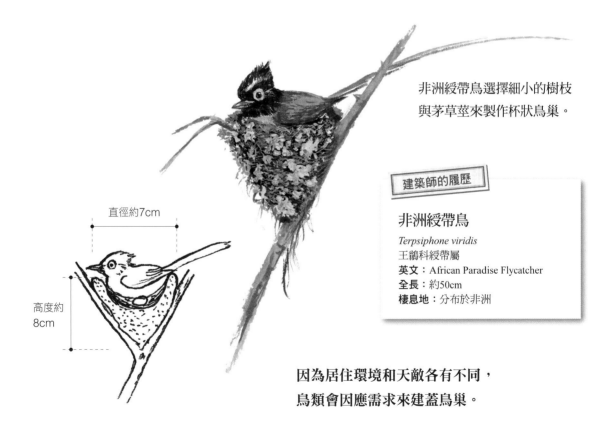

非洲綬帶鳥選擇細小的樹枝
與茅草莖來製作杯狀鳥巢。

建築師的履歷

非洲綬帶鳥

Terpsiphone viridis
王鶲科綬帶屬
英文：African Paradise Flycatcher
全長：約50cm
棲息地：分布於非洲

直徑約7cm

高度約
8cm

因為居住環境和天敵各有不同，
鳥類會因應需求來建蓋鳥巢。

許多鳥在建造鳥巢時會使用到蜘蛛絲，
這是為什麼呢？

鳥類為了保護寶貴的蛋和雛鳥，必須選擇天敵難以發現的地方來建造窩巢。

身材嬌小的鳥類只能運送苔蘚類等輕薄材料，

而要把那麼多苔蘚片黏合在一起，蜘蛛絲是最佳的黏膠。

因為鳥巢非常小巧，再者苔蘚帶有保護色，

就像迷彩一般，不易被天敵發現。

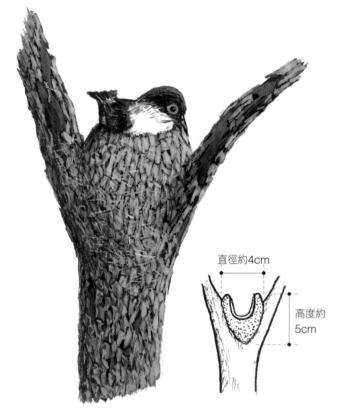

直徑約4cm

高度約
5cm

澳洲鴲懂得使用蜘蛛絲
和樹皮建造鳥窩，
所以外觀看起來就像樹木的一部分，
很難發現。

建築師的履歷

澳洲鴲

Daphoenositta chrysoptera
澳鴲科澳鴲屬
英文：Varied Sittella
全長：10～11cm
棲息地：分布於澳洲和紐西蘭

窩巢的製作法

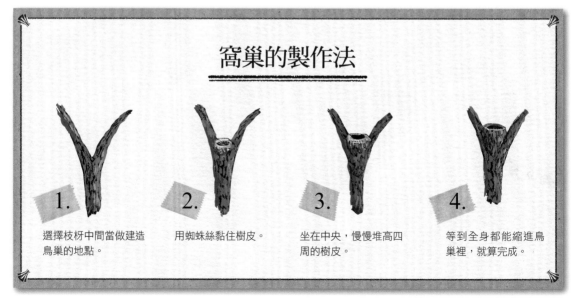

1.
選擇枝枒中間當做建造
鳥巢的地點。

2.
用蜘蛛絲黏住樹皮。

3.
坐在中央，慢慢堆高四
周的樹皮。

4.
等到全身都能縮進鳥
巢裡，就算完成。

黑頦撫蜜鳥會使用蒐集來的樹皮纖維，
在兩根樹枝之間建造鳥巢。

建築師的履歷

黑頦撫蜜鳥

Melithreptus gularis
吸蜜鳥科撫蜜鳥屬
英文：Black-chinned Honeyeater
全長：約17cm
棲息地：分布於澳洲

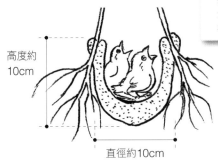

高度約
10cm

直徑約10cm

灰胸扇尾鶲會用木頭纖
維在枝枒間建造鳥巢。

建築師的履歷

灰胸扇尾鶲

Rhipidura rufidorsa
扇尾鶲科扇尾鶲屬
英文：Rufous-backed Fantail
全長：約13cm
棲息地：分布於印尼到巴布亞新幾內亞

直徑約5cm

高度約
4cm

安娜蜂鳥的鳥巢是全世界最
小的鳥巢，有時甚至會蓋在
人工製造物之上。

建築師的履歷

安娜蜂鳥

Calypte anna
蜂鳥科安娜蜂鳥屬
英文：Anna's Hummingbird
全長：約10cm
棲息地：分布於北美西海岸

直徑約3cm

高度約
2.5cm

同樣是使用蜘蛛絲，
但不是纏繞來製造窩巢，而是縫製而成。

用蜘蛛絲把樹葉縫成一個鳥巢

長尾縫葉鶯會用蜘蛛絲把樹葉縫成筒狀，
裡面則用草的纖維和稻穗做出杯子造型的窩巢。
牠們選擇建造鳥巢的位置多半是樹葉密集的地方，所以很難發現。

建築師的履歷

長尾縫葉鶯

Orthotomus sutorius
鶯科縫葉鶯屬
英文：Common Tailorbird
全長：約15cm
棲息地：分布於東南亞

背部是橄欖色、尾羽很長、頭頂有醒目紅斑的小鳥。鳴叫聲非常美妙。因為會使用蜘蛛絲來縫樹葉，所以英文稱為Tailorbird，日文也命名為裁縫鳥。

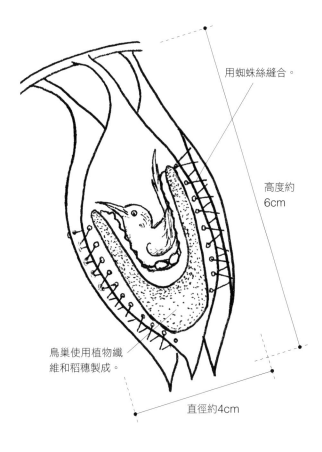

用蜘蛛絲縫合。

高度約
6cm

鳥巢使用植物纖
維和稻穗製成。

直徑約4cm

把一片葉子縫成筒狀。

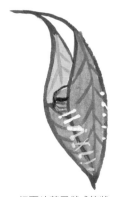

把兩片葉子縫成筒狀。

葉子的縫製法

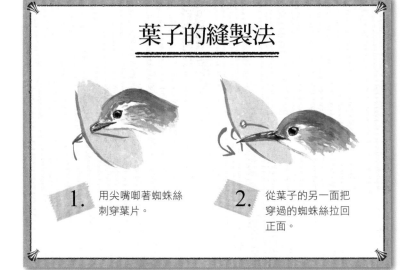

1. 用尖嘴啣著蜘蛛絲
刺穿葉片。

2. 從葉子的另一面把
穿過的蜘蛛絲拉回
正面。

把三片以上的樹葉縫
在一起的狀態。

日本也有用蜘蛛絲縫葉子的鳥。

日本的「裁縫鳥」

住在河濱和草原上的棕扇尾鶯，公鳥會運用蜘蛛絲把長草縫成筒狀。
要是縫得好看被母鳥看中，就會把植物的纖維拉進內部，編織出袋狀的鳥窩。

建築師的履歷

棕扇尾鶯

Cisticola juncidis
扇尾鶯科扇尾鶯屬
英文：Zitting Cisticola
全長：約13cm
棲息地：廣泛分布於歐洲南部、
　　　　　非洲、包含日本在內的
　　　　　亞洲以及澳洲北部

比麻雀還小的鳥類，棲息在河濱
和草原上。牠會邊飛邊鳴叫著
「嘻嘻嘻加加加」，用這種方式
求偶，然後躲進草叢裡，很難發
現牠的蹤跡。有雙腳分別跨在兩
根草莖上的特殊習慣。

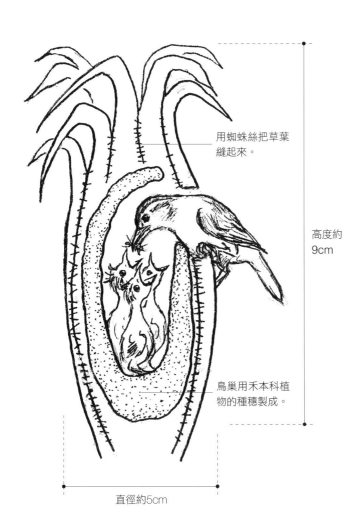

用蜘蛛絲把草葉
縫起來。

高度約
9cm

鳥巢用禾本科植
物的種穗製成。

直徑約5cm

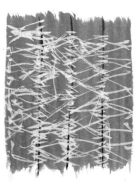

從表面幾乎看不到什麼蜘蛛
絲縫線。

從內側就能看到蜘蛛絲的縫
線，方式和裁縫的「暗縫」
相同。

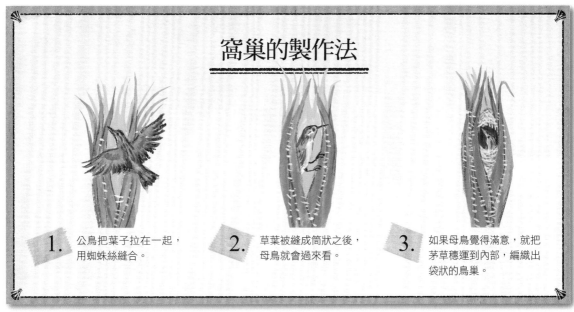

窩巢的製作法

1. 公鳥把葉子拉在一起，
用蜘蛛絲縫合。

2. 草葉被縫成筒狀之後，
母鳥就會過來看。

3. 如果母鳥覺得滿意，就把
茅草穗運到內部，編織出
袋狀的鳥巢。

也有縫在大葉子背面的鳥巢。

縫在葉子背面的鳥巢

黃耳捕蛛鳥會使用蜘蛛絲，
在香蕉樹等大型下垂葉片內側縫出筒形的鳥巢。

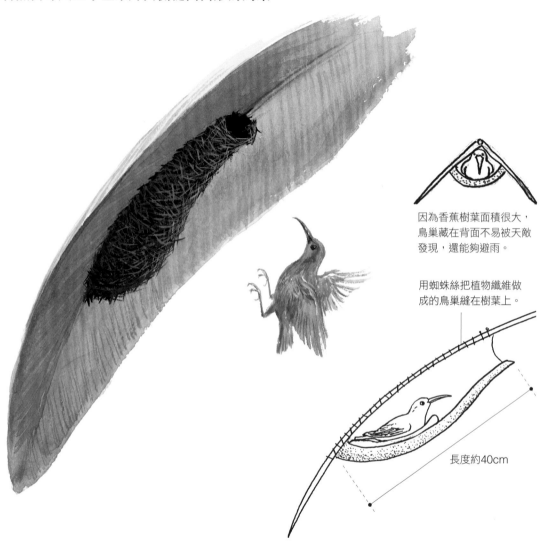

因為香蕉樹葉面積很大，
鳥巢藏在背面不易被天敵
發現，還能夠避雨。

用蜘蛛絲把植物纖維做
成的鳥巢縫在樹葉上。

長度約40cm

建築師的履歷

黃耳捕蛛鳥

Arachnothera chrysogenys
太陽鳥科捕蛛鳥屬
英文：Yellow-eared Spiderhunter
全長：約15cm
棲息地：分布於東南亞

生活在東南亞的亞熱帶與熱帶地
區的平地叢林、山地叢林、紅樹
林等處的小鳥。一如牠的名字
「捕蛛鳥」，牠用長長的下彎鳥
喙捕捉昆蟲和蜘蛛來吃（所以英
文名也叫Spiderhunter）。

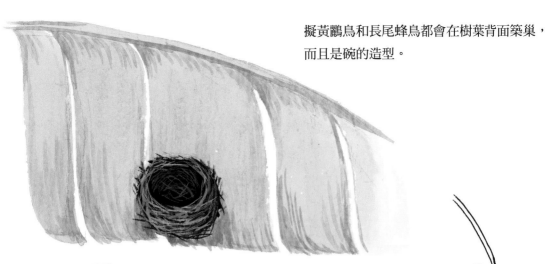

擬黃鸝鳥和長尾蜂鳥都會在樹葉背面築巢，
而且是碗的造型。

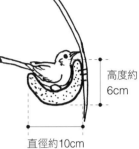

高度約
6cm

直徑約10cm

建築師的履歷

擬黃鸝鳥

Icterus cucullatus
擬黃鸝科擬黃鸝屬
英文：Hooded Oriole
全長：約19cm
棲息地：分布於北美南部和墨西哥

在叢林和惡劣環境中，
有許多猴子和蛇等天敵。
在嚴苛環境中生活的生物為了撫育幼雛，
會選擇特別的地方和材料建造安全的窩巢。

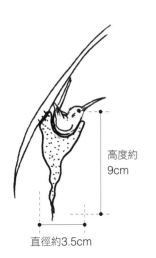

高度約
9cm

直徑約3.5cm

建築師的履歷

長尾蜂鳥

Phaethornis superciliosus
蜂鳥科長尾蜂鳥屬
英文：Long-tailed Hermit
全長：約15cm
棲息地：分布於南美洲的北部

在自然環境愈來愈少的都市裡，
鳥類要如何做窩巢呢？

都市的鳥兒如何築巢？

在都市裡生存的烏鴉，
會用鐵絲製成的曬衣架和人們丟棄的垃圾來製作鳥巢。

把曬衣架拗彎，卡在樹幹之間，
這樣鳥巢就不會掉落了。

建築師的履歷

巨嘴鴉

Corvus macrorhynchos
鴉科鴉屬
英文：Large-billed Crow
全長：約56cm
棲息地：廣泛分布於日本和亞洲各地

在都市以外的地方，
則會使用樹枝堆出一個外環，
中央用植物纖維和樹皮來做鳥巢。

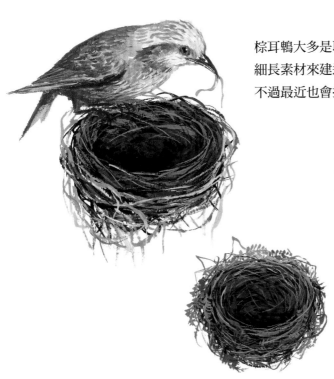

棕耳鵯大多是取用植物的藤蔓等
細長素材來建造鳥巢，
不過最近也會撿塑膠袋拉成絲來當材料。

建築師的履歷

棕耳鵯
Hypsipetes amaurotis
鵯科鵯屬
英文：Brown-eared Bulbul
全長：約28cm
棲息地：日本全國和部分亞洲地區

不使用人工製品
建造的鳥巢。

綠繡眼如果找不到合適做窩的
苔蘚植物，有時也會使用塑膠
袋拉成細絲當材料。

不使用人工物製
品建造的鳥巢。

建築師的履歷

綠繡眼
Zosterops japonicus
繡眼科繡眼屬
英文：Japanese White-eye
全長：約12cm
棲息地：日本全國和亞洲的一部分

在自然環境愈來愈少的都會區，
鳥兒為了生養下一代，
還是會費盡心思建造鳥巢。

不是只有生物會建造窩巢，
還有一些生物會造出不可思議但有趣的東西。

會製造「亭台」的鳥類

在澳洲和新幾內亞居住的園丁鳥約有20種。

公鳥求偶時，會蓋出一種名叫「亭台」的奇妙建築，但不是鳥巢。

如果母鳥看上這座「亭台」，就會和公鳥交配，

然後只有母鳥自己蓋鳥巢、孵蛋育雛，

公鳥則是一年到頭都全心投注於「亭台」的美化。

這是住在新幾內亞的黃胸園丁鳥所建造的「亭台」。

牠蒐集許多樹枝，在四面蓋起圓弧形的牆，裡面排滿紅色或藍色的果實和小石頭。

黃胸園丁鳥

Chlamydera lauterbachi
園丁鳥科黃胸園丁鳥屬
英文：Yellow-breasted Bowerbird
全長：約28cm
棲息地：分布於新幾內亞

為了求偶而建造「亭台」的一種園丁鳥。公鳥的胸部到下腹部都是黃色，母鳥的羽毛色澤比較黯淡。「亭台」必須用樹枝蓋出四面牆壁，裡面排滿紅色和藍色的果實和石頭。

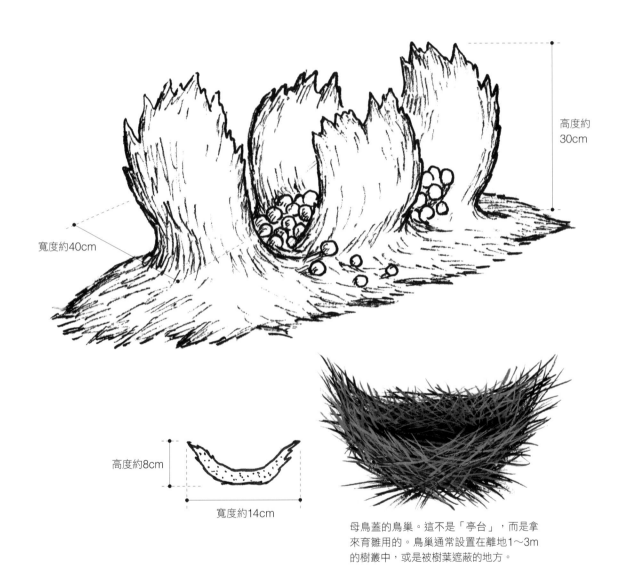

高度約30cm

寬度約40cm

高度約8cm

寬度約14cm

母鳥蓋的鳥巢。這不是「亭台」，而是拿來育雛用的。鳥巢通常設置在離地1～3m的樹叢中，或是被樹葉遮蔽的地方。

園丁鳥的種類很多，
不同種類會做出不同的「亭台」。

熱愛藍色物品的收藏家

緞藍園丁鳥所製作的「亭台」，
將許多小樹枝插在地上，製造出兩面弧形的牆壁，
然後在四周擺放許多藍色的東西。

靠近這兩面弧形牆壁往裡
面看，會有一種身在鳥巢
的錯覺。

為了向母鳥展現自己身體健康，
據說全身藍色羽毛的公鳥會收集藍色的物品來吸引母鳥。

建築師的履歷

緞藍園丁鳥

Ptilonorhynchus violaceus
園丁鳥科緞藍園丁鳥屬
英文：Satin Bowerbird
全長：約32cm
棲息地：分布於澳洲

一種為了求偶而建造「亭台」
的園丁鳥。公鳥全身閃耀著深
藍色的光澤，母鳥的上半身則
是如同彩虹的鮮豔綠色。「亭
台」是用細樹枝製造出兩面弧
形牆壁，周圍則擺放許多藍色
物品當做裝飾。

深度約20cm

高度約
20cm

假如母鳥有意思，就會
走進亭台和公鳥交配。

擺滿藍鸚鵡的藍色羽毛、藍色
塑膠製品、苔蘚、蟬脫下來的
殼及蝸牛殼等物品。

緞藍園丁鳥的母鳥，
眼睛的虹膜是藍色的。

高度約8cm

直徑約16cm

鳥巢是碗形，設置在距離地面
3～20m的樹枝上。

也有加高基座的「亭台」。

加高基座的「亭台」

淺黃大園丁鳥所蓋的「亭台」和緞藍園丁鳥（參138頁）蓋的「亭台」
同樣是兩面弧形的牆壁，但基座比較高。
因為海岸邊常有海浪打上來，還會遇到漲潮情形，
所以要多花些工夫不讓「亭台」被水沖走。
至於「亭台」的裝飾，則選用綠色植物。

建築師的履歷

淺黃大園丁鳥

Chlamydera cerviniventris
園丁鳥科斑紋園丁鳥屬
英文：Fawn-breasted Bowerbird
全長：約29cm
棲息地：分布於新幾內亞和
　　　　澳洲東北部

為了求偶而建造「亭台」的一種園
丁鳥。公鳥的上半部呈灰色，羽毛
邊緣則是醒目的白色，下半部是淺
橙色。母鳥的羽毛配色幾乎一模一
樣，只是體型較小。製作「亭台」
時，會先用樹枝做較高的基座，然
後才建立兩面弧形牆壁，並用綠色
植物來裝飾。

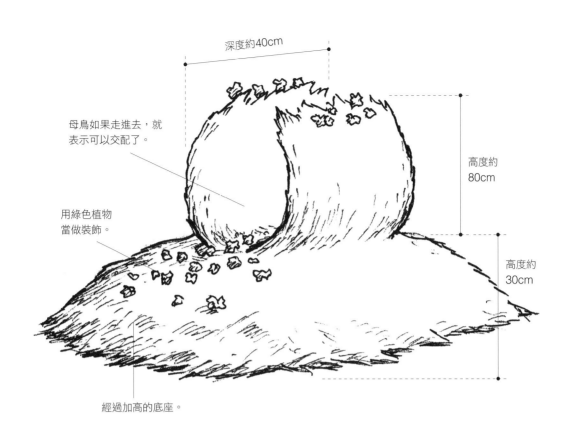

深度約40cm

母鳥如果走進去，就
表示可以交配了。

用綠色植物
當做裝飾。

高度約
80cm

高度約
30cm

經過加高的底座。

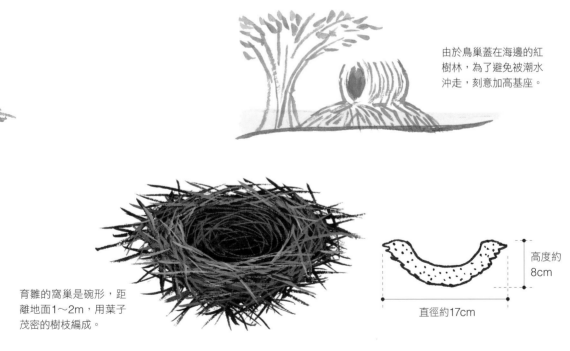

由於鳥巢蓋在海邊的紅
樹林，為了避免被潮水
沖走，刻意加高基座。

育雛的窩巢是碗形，距
離地面1～2m，用葉子
茂密的樹枝編成。

高度約
8cm

直徑約17cm

還有一種如同隧道的「亭台」。

隧道形的「亭台」
搭配一大堆的蝸牛殼

大園丁鳥會蒐集許多樹枝，建造一個圓筒隧道形的「亭台」，

並在裡面放置許多白色蝸牛殼，

乍看之下，還以為鳥巢裡放的是鳥蛋。

在鳥巢外面也是放置了許多蝸牛殼和小動物的白骨。

看起來就好像鳥蛋多到滾出鳥巢了。

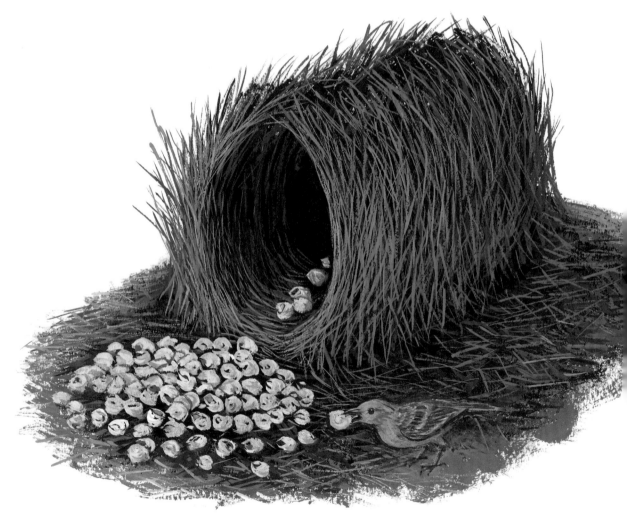

牠們也會放一些粉紅色物品。

因為大園丁鳥的後腦杓有一片粉紅色羽毛，

有點像是藝術家在宣稱「這是我的作品」而留下的簽名。

大園丁鳥

Chlamydera nuchalis
園丁鳥科條紋園丁鳥屬
英文：Great Bowerbird
全長：約36cm
棲息地：分布於澳洲北部

為了求偶而建造「亭台」的一種園丁鳥。公鳥全身不是褐色就是灰色，相當樸素，但後腦杓有一些紫色羽毛，十分醒目。母鳥的顏色和公鳥很相似，但是沒有紫色羽毛。牠們的「亭台」是圓筒形的。

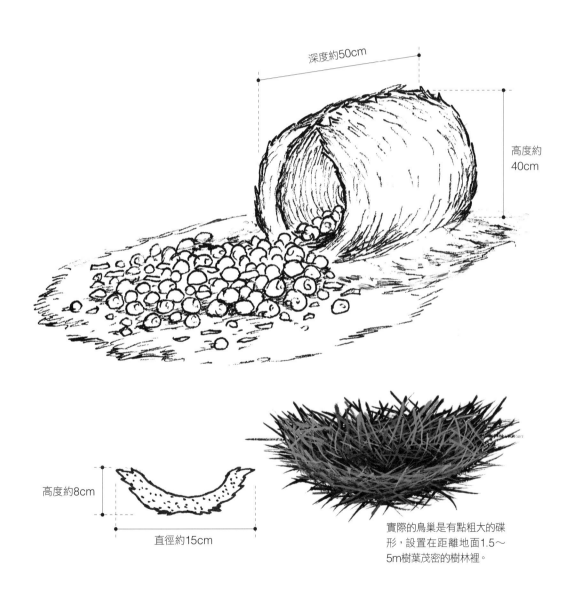

深度約50cm

高度約40cm

高度約8cm

直徑約15cm

實際的鳥巢是有點粗大的碟形，設置在距離地面1.5～5m樹葉茂密的樹林裡。

鳥巢和鳥蛋的外觀像「亭台」的鳥類。

很像豎直的鳥巢的「亭台」

攝政園丁鳥的「亭台」，看起來就像是原本平躺的鳥巢被豎了起來。

公鳥會在裡面放入蝸牛殼，用來代表鳥巢中的蛋。

而這個蝸牛殼的色澤，竟然也和真的鳥蛋極為相似。

真正的鳥蛋。外殼的紋路和蝸牛殼很相似。

真正的鳥巢。位於距離地面1～10m枝葉繁茂的樹叢中。「亭台」的造型就像是把鳥巢豎起來一樣。

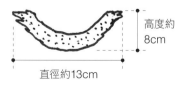

高度約8cm

直徑約13cm

攝政園丁鳥

Sericulus chrysocephalus
園丁鳥科攝政園丁鳥屬
英文：Regent Bowerbird
全長：約24cm
棲息地：分布於澳洲東部

為了求偶而建造「亭台」的一種園丁鳥。公鳥的羽毛有黑色、黃色、橙色，顏色反差很大，十分醒目。相較之下，母鳥則是不起眼的灰褐色。這種鳥做的「亭台」，就像把樹枝編織成的鳥巢豎直的形狀。

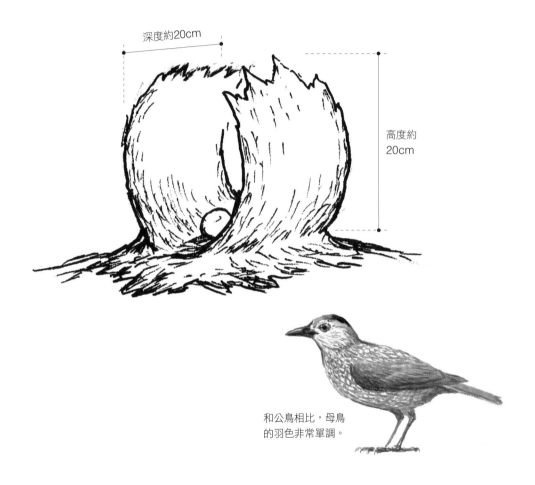

深度約20cm

高度約20cm

和公鳥相比，母鳥的羽色非常單調。

園丁鳥類所居住的地區沒有肉食的天敵，

加上氣候溫暖、食物充足，建造鳥巢和養育雛鳥的工作都是由母鳥負責。

但據推測，公鳥本來就具備「建造鳥巢育雛」的天性，

或許因此才會建造出吸引母鳥的「亭台」。

活像是兩座高塔的「亭台」。

儼然是兩座高塔的「亭台」

黃金園丁鳥的公鳥會在傾倒的樹木鋪上苔蘚和花朵作為裝飾，
然後在其兩側的兩根樹枝上堆積大量的樹枝，做成一座「亭台」。
一眼看去，真的很像是建造了兩座高塔。

母鳥築巢育雛的地方
是在大樹幹的樹洞裡，空間很狹窄。
與公鳥建造兩座高塔的行為相比較，
其實母鳥只需要一個小小的樹洞就能築巢，
或許母鳥覺得窄小的窩巢比較舒適吧。

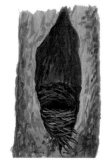

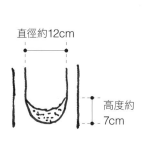

直徑約12cm

高度約
7cm

黃金園丁鳥

Prionodura newtoniana
園丁鳥科黃金園丁鳥屬
英文：Golden Bowerbird
全長：約24cm
棲息地：分布於澳洲東北部

為了求偶而建造「亭台」的一種園丁鳥。公鳥一如其名，全身布滿了黃金般的黃色與橄欖褐色羽毛，十分引人矚目，而母鳥的羽色卻很單調。會利用倒下的樹幹建造「亭台」，用苔蘚與花朵裝飾，然後堆疊樹枝而成。

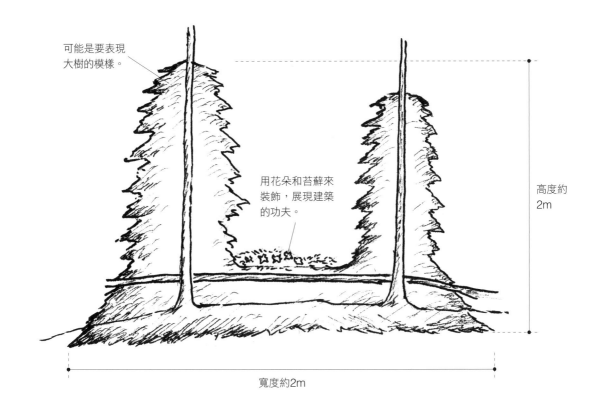

可能是要表現大樹的模樣。

用花朵和苔蘚來裝飾，展現建築的功夫。

高度約2m

寬度約2m

和公鳥相比，母鳥的羽色很樸素。

也有長的像耶誕樹的「亭台」。

147

像耶誕樹一樣的「亭台」

冠園丁鳥會用苔蘚圍繞一棵樹建造出外牆，形成一個小庭園，
然後在中心的樹上插滿許多撿來的樹枝，這些小樹枝有些附著了苔蘚，
有些還有昆蟲抓著樹枝，看起來就像耶誕樹一樣的「亭台」。

冠園丁鳥

Amblyornis macgregoriae
園丁鳥科冠園丁鳥屬
英文：Macgregor's Bowerbird
全長：約25cm
棲息地：分布於新幾內亞

為了求偶而建造「亭台」的一種園丁鳥。公鳥幾乎全身都是橄欖褐色，後腦杓有黃色羽毛。母鳥的配色和公鳥差不多，但後腦杓沒有黃色羽毛。公鳥很擅長模仿其他鳥類的鳴叫。「亭台」是用一棵樹來製作、裝飾而成。

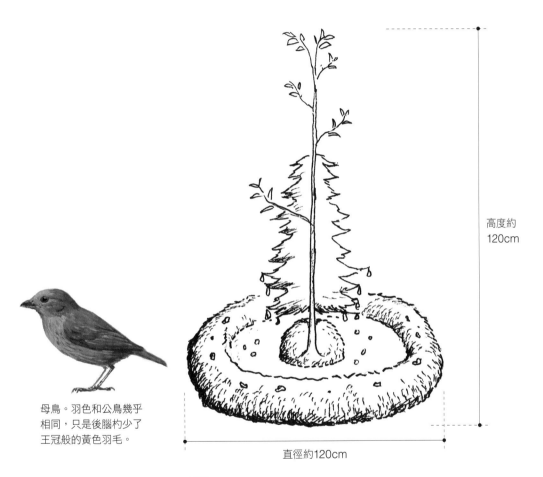

母鳥。羽色和公鳥幾乎相同，只是後腦杓少了王冠般的黃色羽毛。

高度約
120cm

直徑約120cm

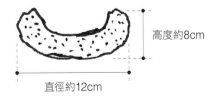

鳥巢是甜甜圈形，建造於離地面1～2.5m的樹枝上。

高度約8cm

直徑約12cm

還有一種就像人類住屋的「亭台」。

帳棚般的巨大「亭台」

褐色園丁鳥要製作「亭台」之前，會先把地面打掃乾淨，
然後蒐集植物的莖，慢慢堆積成半球形屋頂的建築物，
接著，在出入口和內部排列各種顏色的果實、昆蟲、苔蘚和樹葉等。
由於每一種的顏色都不一樣且分類清楚，
看起來就像商店裡陳列的商品，
讓人忍不住想到裡面觀賞。

褐色園丁鳥

Amblyornis inornata
園丁鳥科冠園丁鳥屬
英文：Vogelkop Bowerbird
全長：約25cm
棲息地：分布於新幾內亞

為了求偶而建造「亭台」的一種園丁鳥。公鳥和母鳥的羽色幾乎相同，全身都是褐色。公鳥擅長模仿其他鳥類的鳴叫。「亭台」是巨大半球形，牠會蒐集花草、果實和人工物體來裝飾，還懂得依照顏色來排列整齊。

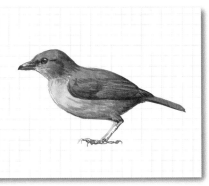

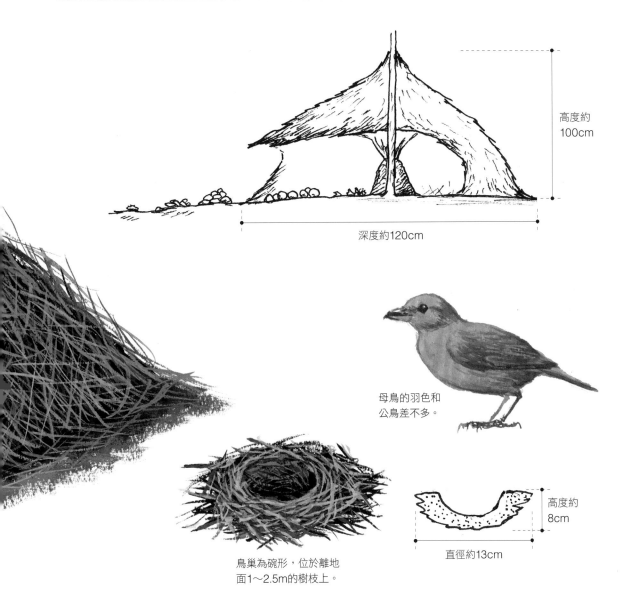

高度約100cm

深度約120cm

母鳥的羽色和公鳥差不多。

鳥巢為碗形，位於離地面1～2.5m的樹枝上。

高度約8cm

直徑約13cm

也有一種極度簡化的「亭台」。

極簡風格的「亭台」

齒嘴園丁鳥的公鳥把地面打掃乾淨後，

會蒐集許多片葉子，以背面朝上的方式擺放在地上。

葉子背面的顏色偏白，比較容易看見，

這樣就完成了極簡風格的「亭台」。

在日曬不足的微暗森林裡，這樣的「亭台」變得很醒目。

齒嘴園丁鳥

Scenopocetes dentirostris
園丁鳥科齒嘴園丁鳥屬
英文：Tooth-billed Bowerbird
全長：約26cm
棲息地：澳洲東北部

公鳥會建造「亭台」來求偶的一種齒嘴園丁鳥。雌雄毛色相同，上半是橄欖褐色，下半是白色中帶有灰褐色斑點。「亭台」建造得非常精簡，會在清掃乾淨的林上擺置特定的植物樹葉，並以背面朝上的方式排列。

蒐集20～100片樹葉，背面朝上排列在地面。有時其他的鳥會惡作劇，把葉子翻回正面，公鳥就會回去把葉子重新翻到反面。如果樹葉群中混雜了不同種類的葉子，就會挑出來清除掉。

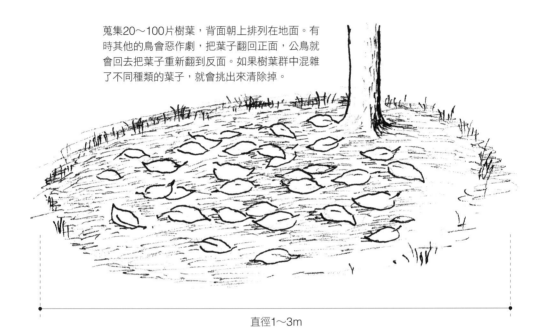

直徑1～3m

鳥巢為碗形，設置在枝葉與藤蔓茂密之處，高度則沒有一定。

高度約8cm

直徑約13cm

為什麼園丁鳥要特地
製作一個「亭台」呢？

園丁鳥製作「亭台」的理由

園丁鳥居住的地區還有一種顏色鮮豔的天堂鳥（風鳥類），
會用跳舞的方式來向母鳥求愛。

髮簪天堂鳥

Parotia sefilata
天堂鳥科髮簪天堂鳥屬

天堂鳥的公鳥為了贏過其他公鳥，會在森林的地面上跳舞。
但是這樣的舉動不僅會吸引到母鳥，還很容易惹來鷹鵟等天敵的注意，
導致遭到襲擊的機率大大增加。

相較之下，
園丁鳥的公鳥改以花稍的「亭台」
來代表自己，算是安全的做法。

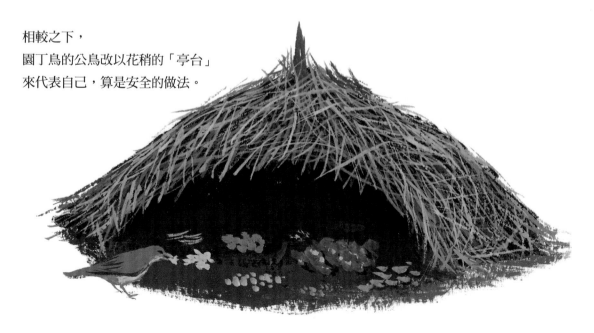

園丁鳥製作「亭台」的其他理由

想要吸引母鳥

想要餵養雛鳥

展現自己身體健康

想要蓋鳥巢的本能

和其他的鳥類相比，園丁鳥的腦部稍微大一點。
「想要蓋鳥巢」、「想要餵養雛鳥」、「想要吸引母鳥」、
「想要讓母鳥產卵，留下更多子孫」的這些想法，
都讓公鳥想要建蓋「亭台」，雖然「亭台」不是真正的鳥巢，
卻展現出孕育後代的心意。

還有一種生物為了孕育生命，
會製作出各種各樣的物品。
那就是……

我們人類

很久很久以前，人類就擁有使用工具和火的能力。
從那時起，人類會為了吃東西而準備碗盤等餐具，
然後蓋一個能夠遮風避寒、安心生活的「家」；
為了定期取得食物，開始種植食物、飼養家畜；
為了運送物品而發明了車子，為了把思想傳下去而發明了文字，
為了穩定心神而創造了宗教與藝術活動。
接著，又製造了各種電力能源……
在這個世界上創造了許多有用的東西。
究其根源，所有生物就是為了孕育新的生命，
才會建造出各種各樣的「窩巢」。
而這都是源自於繁衍的本能。

建築師的履歷

人（人類）
Homo sapiens
人類人屬
英文：Man（Human being）

在地球這個星球上生存的，並不只有我們人類。
各種各樣的環境會培育出各種各樣的生物，
不需要誰來教導就會蓋「窩巢」，用來孕育新生命。
這本書中只介紹了其中一部分，不過也有很多種生物不需要建造窩巢，
只希望這個環境能讓各種各樣的生物把生命延續下去。

索引 （依姓名筆畫排序）

158

一場精巧的盛宴，對大自然多樣設計的讚嘆

丁宗蘇（國立臺灣大學森林環境暨資源學系副教授）

　　這本書圍繞在窩巢。作者鈴木守是個專執的日本職人，是童書作者及插畫家，但對動物的窩巢有著強烈的迷戀，幾十年來一直著迷於這個主題。在過去幾十年，鈴木守到全世界各地觀察各種動物的不同窩巢，也出版過相關書籍，但從來沒有像《天生建築家》這本書如此完整、精緻、華麗與全面。

　　生物為了在大自然中生存及繁殖，會在型態、生理、行為等層面上有各種調整，以適應大自然的挑戰。窩巢，是動物們安身立命的場所，不僅是動物休息睡覺的地方，也是培育下一代的搖籃。人類的建築儘管變化很大、也深具巧思，但是與動物的窩巢相比，仍是小巫見大巫。

　　鈴木守為這本書付出非常大的心力，讓本書有非常寬廣的視角。他所介紹的動物窩巢，除了大家較熟悉的鳥類、哺乳類，還包括昆蟲、蜘蛛、軟體動物及海裡的海鞘與魚類。這本書所包含的動物含括了世界六大洲具有特色窩巢的種類（南極洲沒有會築窩巢的動物），各種奇形怪狀、特殊目的、令人嘖嘖稱奇的窩巢都集結在書中，包括各類躲避天敵掠食的窩巢、吸引異性的求偶窩巢、方便掠食的窩巢、可以調節氣溫的窩巢、培養食物的窩巢，以及各類不同材質的窩巢，每個動物物種的窩巢都畫得非常傳神貼切，令人再三觀賞。而且書中伴隨的窩巢設計緣由、相關物種與背景資訊，也都非常全面與正確。這本書會是鈴木守的代表作，也會是動物窩巢的經典繪本，未來很難有其他書可以超越。

　　推薦這本書給有無比好奇心探索這世界的小朋友與大朋友，它會大大豐富我們人類的無限想像力與創意。

橫斑梅花雀

強力推薦（依姓名筆畫排序）

　　巢，就是動物製作的家。神奇的是，動物們幾乎不需要學習，就能做出各種極其複雜的家，各有各的講究之處，且與人類住家非常相似，例如河狸注重巨大的私人泳池、園丁鳥熱中於建造大型裝置藝術。這些新奇有趣的窩巢構造及建造方式，在《天生建築家》中全以精緻有趣的插圖呈現出來。快打開書，看看還有哪些稀奇古怪的動物之家吧。——**林家蔚**（自然插畫家）

　　閱讀《天生建築家》之後，對於作者的畫工及其對各種窩巢、巢穴的理解之深刻以和解說之清楚，感到非常滿足，同時也帶我回到四年前在馬達加斯加的回憶。當時，我觀察到一個個類似倒吊著的雨鞋形狀鳥巢，幾乎掛滿了整棵樹。後來知道那就是馬達加斯加特有的馬島織巢鳥（*Ploceus sakalava*）！這樣一隻和麻雀體型相仿的漂亮小鳥，如何製作出一個個複雜無比的鳥巢？要做出這樣的鳥巢，背後又有什麼演化的壓力去推動牠們愈做愈好？《天生建築家》這本書真的值得買回家，仔細閱讀消化個好多天！——**游崇瑋**（生態旅遊達人）

　　身兼數職的我常跑野外，為了探訪各種動物的行為，最好的方式就是找到牠們的家，但有時守上一整天也不見得有收穫。所以一看到這本書，馬上引起了我的好奇心。作者發揮研究人員的精神與自然觀察的細膩，運用獨特的繪圖技巧將動物的家與自然環境如實呈現，相當適合親子一同閱讀。其中各種家的建築過程、實際尺寸以及利用方式，更值得生態愛好者參考，這本書絕對能讓你我一再品讀。——**黃仕傑**（自然生態攝影師、科普作家）

　　每種動物的家屋，都會關係到下一代的成功繁衍。因而牠們會隨棲息的環境摸索，透過長時間演化，創造出最適合餵養育幼的巢穴，有的彷彿迷宮，有的猶如密室，也有的像座大教堂。我們同時驚奇地發現，這些不可思議的造型和築巢方式的背後都大有文章，值得詳加探討。在《天生建築家》這本書中，作者透過精彩的插圖，為我們活潑地逐一剖析，同時以精要翔實的文字介紹，生動地描述這些頗具代表性的居住環境，讓我們從動物的住家帶出更多有趣而美好的居住想像。——**劉克襄**（作家）

參考文獻

- 「建築する動物たち」マイク・ハンセル（青土社）
- 「生きものの建築学」長谷川堯（講談社）
- 「動物たちの「衣・食・住」学」今泉忠明（同文書院）
- 「巣の大研究」今泉忠明（PHP）
- 「動物のすみか」（丸善株式会社）
- 「しぜん　いきものたちのいえ」（フレーベル館）
- 「週間朝日百科　動物たちの地球」（朝日新聞出版）
- 「動物大百科」（平凡社）
- 「地球生活記」小松義夫（福音館書店）
- 「世界昆虫記」今森光彦（福音館書店）
- 「むし─こども図鑑」（學研）
- 「生きものたちも建築家　巣のデザイン」「蜂は職人・デザイナー」「クモの網」（INAX出版）
- 「世界の美しい透明な生き物」「世界で一番美しいイカとタコの図鑑」（エクスナレッジ）
- 「ハキリアリ　農業を営む奇跡の生物」バート・ヘルドブラー，エドワード・O・ウィルソン（飛鳥新社）
- 「完璧版　鳥の写真図鑑」コリン・ハリソン/アラン・グリーンスミス（日本ヴォーグ社）
- 「ARCHITEKITIER」INGO ARDNT（KNESEBECK）
- 「HANDBOOK OF THE BIRDS OF THE WORLD」（1~16）
- 「FIELD GUIDE TO THE ANIMALS OF BRITAIN」（READER'S DIGEST）
- 「NESTS AND EGGS」Warwick Tarboton（STRUIK）
- 「BirdNests and Construction Behaviour」MIKE HANSELL（CAMBRIDGE）

天生建築家
鈴木守的109種動物巢穴大發現

文・圖／鈴木守
譯／許嘉祥
審訂／丁宗蘇

執行編輯／陳懿文
主編／林孜懃
行銷企劃經理／金多誠
出版一部總編輯暨總監／王明雪

發行人／王榮文
出版發行／遠流出版事業股份有限公司
　　　　　臺北市中山北路一段11號13樓
　　　　　郵撥：0189456-1
　　　　　電話：(02)2571-0297　傳真：(02)2571-0197
著作權顧問／蕭雄淋律師
□ 2016年10月 1 日　初版一刷
□ 2021年12月30日　初版七刷

定價／新台幣399元（缺頁或破損的書，請寄回更換）

遠流博識網 http://www.ylib.com　E-mail: ylib@ylib.com

IKIMONO TACHI NO TSUKURU SU 109
© MAMORU SUZUKI 2015
Originally published in Japan in 2015 by X-Knowledge Ltd., Tokyo,
Chinese (in complex character only) translation rights arranged with X-Knowledge Ltd., Tokyo,
through BARDON CHINESE MEDIA AGENCY
Chinese translation copyright © 2016 by Yuan-Liou Publishing Co., Ltd.
All rights reserved.

國家圖書館出版品預行編目(CIP)資料

天生建築家：鈴木守的109種動物巢穴大發現 /
　鈴木守文.圖；許嘉祥譯. -- 初版. -- 臺北市：
　遠流, 2016.10
　　面；　公分
　ISBN 978-957-32-7896-2（平裝）
　1.百科全書　2.青少年讀物
047　　　　　　　　　　　　　　105017310